D0233782

PARUS OU À PARAÎTRE
DANS NOTRE COLLECTION **PUNCH**

GIDÉON AU MUSÉE	J.J. MARRIC
UNE TORPILLE POUR L'HÉROÏNE	Desmond BAGLEY
JEUNE CADAVRE ET VIEUX GARÇON	Rae FOLEY
SCOTLAND YARD OUVRE LE BAL	J.J. MARRIC
RAPSODIE VIENNOISE	Alan NIXON
LE CORPS DU DÉLIT	Michael GILBERT
PLUS AMER QUE LA MORT	Fred KASSAK
FAIS LE MORT	Whit MASTERSON
FLASH-CRIME	G.K. WILKINSON
NE COMPROMETTEZ PAS LE F.B.I.	Bernard CONNERS
BUREAU 100	Frank LEONARD
LE VOYANT ROUGE	René DERAIN
PUZZLE POUR FANS	Patrick QUENTIN
LA CRAVATE EN FER	Paul GERRARD
LA VILLE VIOLÉE	Norman DANIELS
ON N'ENTERRE PAS LE DIMANCHE	Fred KASSAK
L'OVERDOSE	Ange BASTIANI
D'UNE BALLE DEUX COUPS	John ADAMS
Mrs POLLIFAX FAIT UN MALHEUR	Dorothy GILMAN
BLACK VENDETTA	Matt GATZDEN
LA MORT EN PRIMES	Gavin LYALL
UN DEUIL DANS LA FAMILLE	Keith LAUMER
HELVÉTIQUEMENT VÔTRE	Fernand BERSET
MICMAC MARIN	Brian CALLISON
PIÈGE SANS FOND	John D. MacDONALD
CORPS DIPLOMATIQUE	Shelley SMITH
LES SUISSES S'EXCITENT	Fernand BERSET
DOUBLE ÉTRANGLEMENT	Gregory KNAPP
LES PETITES CUILLERS	Robert KYLE
DE LA PLUS BELLE EAU	Jack WEBB
LINCEUL À FAÇON	Samuel KRASNEY
ÉCHAPPEMENT LIBRE	Clet CORONER
LE CHEVAL NOIR QUI GALOPE	James WOOD
SOIS BELLE ET TUE-TOI	John D. MacDONALD
LE PARCOURS DU COMBATTANT	Art POWERS - Mike MISENHEIMER
NOCTURNE POUR UN ASSASSIN	Fred KASSAK
ELLE FAIT MOUCHE	Jack IAMS
LA 7e BLONDE	Kelley ROOS
BRAQUEZ, MESSIEURS	John BOLAND
PETITS TOURISTES	J.C. SILVAGNI
SWISS MAFIA	Fernand BERSET
LE FOU DU ROI	Antoine MICHAEL
LA MINUTE DU PARAPLUIE	Kelley ROOS
LE CHER ABSENT	Louis SONNEVILLE
MORT DANS LA CRÈCHE	Jack IAMS
UNE BÊTISE DE FAITE	Julian SYMONS
CHERCHEZ LA GROSSE BÊTE	Jack WEBB
EXTRÊME HORION	Gavin BLACK

ANGE BASTIANI

LA RIBOULDINGUE

PRESSES DE LA CITÉ
PARIS

I

Il était un peu plus de quatre heures de l'après-midi lorsque le Boeing 737 de l'Irish Air Lingus, portant le trèfle à trois feuilles vert sur son gouvernail de direction, se posa sur la longue piste de ciment de l'Airport de Dublin.

L'appareil avait décollé du Bourget à quinze heures quarante et, en dépit du ciel bouché, n'avait pas pris dix minutes de retard. L'hôtesse en uniforme vert bouteille, brune comme seules savent l'être quelques Irlandaises et bon nombre de Bretonnes, possédait une voix de contralto qu'une pointe d'accent gaélique rendait émouvante même lorsqu'elle se contentait de vous proposer du thé.

Le trajet m'avait paru court. Depuis la veille, où j'avais quitté Cannes, laissant Solange, ma femme, s'occuper de notre agence immobilière, je me trouvais dans l'état d'esprit d'un gosse en vacances.

Non que la présence de Solange me pèse, loin de là. La charmante a un caractère en or, et aux approches de la quarantaine, avec ses grands yeux gris perle et sa chevelure d'un noir bleuté, est plus séduisante que jamais. De la tête, un corps sans un gramme de graisse ni un faux pli et la distinction de femme du monde de quelqu'un qui a passé dix ans de sa vie, sous la tutelle de dames d'expérience, dans les salons de rendez-vous les plus huppés de Paris, Rome et Hambourg.

Une créature flatteuse pour l'homme qui se présente avec elle, où que ce soit. Seulement, moi, il y a vingt ans qu'elle me flatte. Alors...

Alors, lorsqu'une semaine auparavant, j'avais reçu une invitation de ma filleule et de son dublinois de mari, à venir chasser et pêcher en Eire, je m'étais précipité sur l'occasion. Et d'autant plus qu'au mois de janvier, Cannes tourne à l'asile de vieillards de luxe et que les affaires sont molles. Solange et nos deux secrétaires suffiraient largement à assurer le tran-tran, quant à moi, j'avais bouclé mes valises.

Revoir ma filleule était pour moi une vraie joie, passant bien avant le tir à la bécasse et la pêche au saumon. J'avais vingt-neuf ans lorsque je l'avais portée sur les fonts baptismaux, comme on dit, à l'église Sainte-Marie-Majeure, la cathédrale de Toulon et c'est moi qui avais choisi pour la petite le doux prénom de Nathalie.

Son père, Xavier Guiderdoni, était le meilleur de mes amis. Et lorsque, dix ans plus tard, il était mort au combat, scié en deux par une rafale de mitraillette lors d'un accrochage avec la police, au cours d'un hold-up dont, personnellement je m'étais tiré par miracle, c'était moi qui m'étais chargé des frais d'éducation de la gamine. Parce que de mère, elle n'en avait jamais eue. Ou si peu.

Sans nous vanter, Solange et moi, en avions fait

une véritable demoiselle. En grandissant, de minotte un peu maigrelette qu'elle était, elle avait tourné à la splendeur. Blonde comme un champ de blé, avec des diamants noirs pour prunelles — le seul héritage de sa mère — mince, élancée, nerveuse — tout son père, le pauvre Xavier — et disposant d'une paire de jambes et de seins à valoir des gros plans sur papier glacé.

Cela dit, elle parlait trois langues, jouait du piano en virtuose, savait se tenir aussi bien à table que sur un cheval et prenait des cours de sociologie à Nanterre lorsque, voici un peu plus de quatre ans de ça, elle était tombée dans un club de vacances à Agadir sur un grand diable d'Irlandais qui en avait fait une jeune mariée avant l'équinoxe de septembre. Quant à savoir comment il avait pu s'y prendre avec cette chevrette plutôt rétive de tempérament et indépendante comme une hirondelle de mer, c'était son secret et son affaire.

Michael Kavannagh, bien sûr, ne manquait pas d'un certain charme. Dans son genre. Des yeux de porcelaine pervenche qui avaient des regards de gosse en extase pour couver Nathalie. Des dents très blanches, impeccablement alignées qui se découvraient jusqu'aux prémolaires en des sourires auxquels une fille devait avoir du mal à résister. Une tignasse fauve accrochée en boucles serrées sur le front immense. Le visage taillé à coups de serpe, marqué par une fossette profonde coupant le menton agressif et deux autres, se dessinant sur les joues au moindre retroussis des lèvres.

Trente ans, un mètre quatre-vingt-dix, une carrure de rugbyman et des muscles partout. En gros, voilà l'animal dont j'étais devenu le parrain par alliance.

Au passage, une petite précision indispensable. Le parrain de Nathalie, je l'étais devant l'Église catholique, apostolique et romaine, pas façon Maffia. Il ne faudrait surtout pas confondre.

Lorsque la petite nous avait présenté Michael à Solange et à moi, elle nous avait annoncé qu'il était propriétaire d'une fabrique de bijoux en marbre du Connemara. Apparemment, il faut le reconnaître, il n'avait rien d'un miteux. Garde-robe soignée, Thunderbird rouge, un incontestable goût du confort et, je m'en aperçus très vite, les moyens de laisser pas mal d'argent sur les champs de courses.

Pour en finir, le type respirait la franchise, n'avait rien d'un jobard, semblait d'un naturel gai, et par-dessus tout, était en adoration devant Nathalie.

J'avais néanmoins posé une question à celle-ci :

— Ça ne va pas trop te changer d'aller devoir vivre à Dublin ?

La réponse avait été péremptoire.

— Et d'une, parrain, avec Michael, je serais heureuse n'importe où. Et de deux, l'Irlande est, paraît-il, un pays charmant. Et de trois nous comptons voyager fréquemment. Alors, tu vois ?

Je n'avais rien trouvé à répliquer. D'ailleurs, en un sens, je n'étais pas fâché de voir la gosse filer au bras d'un bonhomme sérieux, s'installer en Eire, pays où l'on ne transige pas avec une certaine morale. Certes, sur le chapitre de sa conduite, Nathalie ne m'avait jamais donné le moindre souci mais... Mais, elle n'avait jamais que dix-huit ans, à l'époque, et avec l'ascendance qu'elle charriait — une pute de mère et le pauvre

Xavier qui n'avait rien d'un enfant de chœur il faut bien le dire – on pouvait redouter de sa part de dangereuses impulsions, si l'occasion se présentait.

La savoir casée en Irlande me rassurait et Solange aussi. Tous les deux, nous avions accompagné la gosse à Dublin pour le mariage. Michael n'avait plus que sa mère, aveugle et très âgée, ni frère ni sœur mais une floppée de cousins et encore davantage d'amis. La noce avait duré huit jours et de retour à Paris, j'avais été cloué au lit par une méchante crise de coliques néphrétiques. Passons...

Depuis quatre ans, nous n'étions plus retournés là-bas et le jeune couple n'avait fait que passer trois fois à Paris et toujours plus ou moins en coup de vent.

Nathalie n'oubliait pas pour ça son parrain et à chaque fin d'année, j'avais droit à ses « best wishes » sur une de ces cartes géantes ornées de dentelles et de motifs argentés, dont on a l'attendrissante spécialité dans les Iles.

Ça ne remplaçait malgré tout pas une bonne paire de bises et les plaisirs de la conversation. C'est pourquoi, encore une fois, je me sentais une âme de gamin en descendant du Boeing.

Le ciel était si gris et si bas qu'on aurait pu croire la nuit déjà tombée et il pleuvait. Mais à la mi-janvier il ne faut pas s'attendre à attraper des insolations. D'ailleurs, il vasait également à Paris et, la veille, sur la Croisette, il tombait des hallebardes.

Il ne faisait pas froid du tout ni le moindre souffle de vent et c'est par pur instinct que j'ai relevé le col de mon pardessus en poil de chameau et enfoncé jusqu'aux sourcils mon feutre noir.

J'ai pénétré dans les bâtiments de béton et de verre de l'aérogare. A l'intérieur le contrôle de police était une simple formalité. Un type en uniforme bleu s'est contenté de jeter un coup d'œil sur mon passeport, de lire à mi-voix sur un ton de récitation :

— François Guiol..., né à Toulon (Var)... nationalité française... agent immobilier... résidant à Cannes... Alpes-Maritimes...

L'homme fit un signe de tête approbateur et me rendit la pièce d'identité, en me gratifiant d'un sourire. Je récupérai ma valise de cuir et mon sac de voyage en tissu écossais, passai devant les douaniers sans qu'ils s'intéressent à moi en particulier et pris la direction de la sortie.

Je n'avais pas fait trois pas dans le hall vitré où une petite foule se pressait, que Nathalie me sautait au cou.

Caparaçonnée d'un trench-coat mastic à multiples poches, pattes et boutons, un drôle de chapeau en toile cirée rouge posé sur sa blonde toison, elle paraissait encore plus grande sans avoir rien perdu de sa minceur.

Lorsque, après les trois baisers traditionnels, nos visages se détachèrent, je scrutai le sien, qu'encadraient de longues mèches tombant en pluie jusqu'aux épaules.

Incontestablement, elle semblait encore plus réussie que la dernière fois que nous nous étions vus. De quoi me procurer une bouffée d'orgueil. Cette petite, j'en étais plus fier que si elle avait été ma propre fille ou ma conquête.

Quant au sourire qu'elle arborait, il tint pendant quelques instants lieu de soleil.

— Bienvenue à Dublin, parrain, me lança-t-elle tandis que je la serrais encore entre mes bras.

— Merci, Natou. Heureux de te voir.

— Moi aussi. Je te fais toutes mes excuses pour la pluie.

— Aucune importance, en France aussi.

— Hier, il faisait beau.

Je l'aurais juré. Décidément, la gosse avait bien pris les façons du pays. Où qu'on se pointe en Irlande, il a toujours fait la veille un temps splendide et on s'attend à un ciel radieux pour le lendemain.

Mais Nathalie poursuivait, en m'inspectant des pieds à la tête, d'un regard un peu déconcertant par son insistance :

— Toi, parrain, tu rajeunis.

Je protestai :

— Ne me charrie pas. Cinquante-deux carats le mois prochain, ça te dit quelque chose?

Elle haussa les épaules.

— Toujours en forme. Beau comme un astre, mon parrain.

Je savais bien que le prince-de-galles neuf que je portais, m'amincissait mais il ne fallait rien exagérer.

J'ai peut-être ce que l'on appelle un front romain, haut, large et volontaire mais passablement déplumé. Tempes grises et mèche légèrement plus poivre que sel, plaquée sur le crâne. L'œil noisette sous les sourcils un peu trop touffus — noir dans les moments délicats. Et de dures rides, profondes comme des cicatrices sur toute la face. Sans compter des malles de cabine aux cernes sombres sous les paupières.

Cela dit, je ne suis pas encore prêt à figurer dans

les non-classés à l'Argus mais de là à ce que Natou s'extasie... elle était bien gentille, la chère petite.

— Et Michael ? interrogeai-je.

Elle hésita un instant avant de répondre.

— Ça va. Il était trop occupé pour m'accompagner. Il s'excuse. Mais du moment qu'on va le retrouver. Pourtant, pendant qu'on est seuls, tous les deux, tranquilles, j'aimerais bien te parler un peu. Tu veux qu'on aille boire un verre au bar ?

J'acquiesçai, un peu surpris malgré tout. Il semblait que les premières effusions terminées, la joie de me revoir qu'exprimait son visage, ait fait place à une sorte de nervosité qui durcissait ses traits. Et lorsque j'avais prononcé le nom de Michael, l'ombre qui, le temps d'un éclair, était passée dans ses yeux anthracite ne m'avait pas échappé.

Malgré tout, j'étais sans inquiétude, je savais Nathalie prompte à la colère et facilement ombrageuse.

Nous allâmes atterrir dans un bar aux grandes baies vitrées, tout en longueur, à un premier étage d'où l'on dominait la piste d'envol.

Je posai mes bagages et nous nous assîmes face à face à une table de fond à l'écart du va-et-vient des voyageurs comme des consommateurs du comptoir.

Nathalie commanda un whisky et moi un jus de pamplemousse, ce qui tira un sourire à ma filleule.

— Au régime sec, parrain ?

— Mon foie.

— Tu ne vas tout de même pas passer ton temps ici à boire ces horreurs ?

— On verra.

Le sourire s'était effacé des lèvres de Natou. Elle

ôta son chapeau de toile cirée et secoua sa chevelure d'un mouvement de tête mais j'avais l'impression que c'était un geste simplement destiné à se donner une contenance avant d'attaquer le sujet qu'elle avait à cœur.

— Parrain, finit-elle par dire d'une voix basse, un peu rauque, je suis désolée de t'ennuyer avec mes soucis alors que tu viens tout juste d'arriver. Mais ça vaut mieux comme ça.

— Qu'est-ce qui ne va pas ? Ça ne marche plus entre vous deux ?

— Mais si, mais si, protesta-t-elle sur un ton qui ne laissait aucun doute sur sa sincérité. Il n'y a pas le moindre nuage entre Michael et moi.

— Alors ? Question de finances ?

— Il y a de ça mais ce n'est pas ce que tu pourrais t'imaginer. Nous ne manquons pas vraiment d'argent et je peux m'offrir tout ce que je désire... ou presque. Parce que ce que peut désirer une femme, n'est-ce pas... tu connais. De toute façon, le restaurant marche plutôt bien.

— Le restaurant ? Michael a acheté un restaurant en plus de sa fabrique de bijoux ?

L'air un peu gêné, elle fit un signe négatif de la tête.

— Cela fait près d'un an qu'il a dû vendre la fabrique. Il avait voulu étendre l'affaire et il avait vu trop grand. Par ailleurs, il a surtout eu tort de garder près de lui pour le seconder des gens dont il aurait dû se méfier. Il s'est fait rouler, ni plus ni moins. Puis tout s'en est mêlé. Il a préféré liquider. C'est alors qu'il a pris un restaurant italien, le « Capri » bien situé, tout près de Grafton Street, le centre commercial de Dublin.

— Il l'a mis en gérance?

— Pas du tout. Nous nous en occupons tous les deux.

— Tu ne vas pas me dire que tu te charges, toi, de la cuisine? Tu es incapable de faire cuire un œuf.

Elle éclata de rire.

— Non, non, non. Nous avons un chef. Un Hongrois.

— Un Hongrois pour faire des spécialités italiennes?

— Hongrois, Italien, ici, c'est à peu près considéré pareil. En tout cas, il s'en sort très bien.

— Tant mieux pour vous. Mais dans tout ça, je vois mal ce qui peut t'inquiéter.

Elle croisa ses longs doigts qui se crispèrent.

— J'ai peur, parrain, fit-elle, dans un souffle.

— Peur de qui? De quoi?

— Pas pour moi, peur pour Michael. C'est peut-être son seul défaut, il est joueur. Et si ce n'était que les courses et le poker... mais il a voulu spéculer, tenter en Bourse des coups risqués. Au total, il s'est mis à la merci de quelqu'un de dangereux. Je ne suis pas au courant de tout, loin de là, mais je sens bien qu'en ce moment, il y a du tirage entre eux.

Je pianotai du bout des ongles sur la table.

— Ouais, mais qu'est-ce que je peux pour lui, moi? Tu sais, en ce moment les affaires sont calmes, calmes et...

Elle m'interrompit vivement.

— Il n'est pas question que tu nous aides matériellement.

— Alors?

— Tout peut toujours s'arranger, n'est-ce pas, en discutant.

— C'est selon.

— Si. Mais Michael est trop jeune, trop naïf, il faut le dire. Toi, parrain, tu es un homme d'expérience, quelqu'un de poids... Si tu intervenais, bien entendu sans que Michael le sache...

Je hochai la tête.

— Je finirai par croire que c'est toi la plus naïve de vous deux, Natou. Si ton mari doit réellement un gros paquet à celui dont tu me parles, tu ne supposes quand même pas que, à la seule vue de ma bonne mine, il va renoncer à son argent? Dis, tu n'es pas sérieuse?

— D'abord de l'argent qui vous a été pratiquement escroqué, je n'estime pas que ça constitue une dette.

— C'est un point de vue.

— Ensuite, toi, tu pourrais lui parler à l'autre, obtenir de lui qu'il se montre un peu moins gourmand, qu'il laisse des délais à Michael. Enfin quoi, empêcher que ça tourne à l'aigre. C'est ça que je voulais te demander. Si tu es d'accord, je te dirai où et quand tu pourras rencontrer l'autre type.

C'est inimaginable mais je n'ai jamais su résister à une demande de Nathalie. Il ne me restait plus alors qu'à grommeler.

— Après tout. On peut toujours se voir.

— Je savais bien.

Elle m'enveloppa d'un regard à faire fondre une banquise, repoussa sa chaise et se dressa :

— Excuse-moi un instant. Je reviens tout de suite et nous partons.

Je la vis se diriger vers l'autre bout de la salle où se trouvaient les lavabos. C'était curieux mais, de notre petite conversation, je gardais l'impression que la gosse ne m'avait pas tout dit de ce qui la préoccupait. Et lorsqu'elle avait quitté la table, j'avais surpris dans ses grands yeux un regard d'inquiétude vers le comptoir. Tout comme si elle redoutait d'être surveillée ou guettée. Et je me suis demandé un instant si c'était vraiment au sujet de son mari qu'elle éprouvait des craintes et non pas tout simplement pour son compte personnel.

J'envisageai de lui en parler lorsqu'elle reviendrait.

L'ennui c'est qu'au bout d'une demi-heure, elle n'avait toujours pas fait sa réapparition.

A mon tour, j'abandonnai la table, saisis ma valise et mon sac et pris la direction des lavabos, suivant le long comptoir où les pompes à bière fonctionnaient à plein rendement. J'arrivai tout au fond de la salle où, entre deux portes, l'une portant l'inscription « Ladies » l'autre « Gentlemen », une vieille femme vêtue de noir tricotait je ne sais quoi, avec de la grosse laine également noire.

Lorsque je lui demandai si elle n'avait pas eu affaire à une blonde jeune femme en trench-coat et chapeau de pluie rouge, elle approuva ma description de la tête et me confia avec un sourire de compassion.

— *Yes, yes.* J'ai vu cette dame que vous cherchez. Elle se recoiffait devant la glace, tout au fond, lorsqu'elle a été prise d'un malaise. Grâce au ciel, quelqu'un se trouvait là pour lui venir en aide et s'occuper d'elle.

— Quelqu'un? Quelqu'un de comment?

— Un monsieur très bien, très obligeant, très correct. Il était en train de se laver les mains au lavabo voisin. Lorsqu'il l'a vue défaillir, il l'a soutenue et a dû l'emmener prendre un réconfort.

— Mais où? Ils ne sont pas au bar, je les aurais vus.

— Il y en a un autre au rez-de-chaussée où il y a en général moins de monde. Peut-être l'a-t-il conduite jusque-là. En ce cas, ils auront pris cet escalier.

D'une de ses aiguilles, elle me désigna des marches et une rampe qui débouchaient à gauche de son réduit.

II

Au bar du rez-de-chaussée, pas de Nathalie. Pas plus que dans la galerie où se trouvent le service de renseignements, les bureaux d'agences aériennes, un tabac et un marchand de journaux. Pas davantage de trace de ma filleule entre les stands où se vendent des souvenirs, des parfums et des lainages hors taxes.

Portant ma valise d'une main, mon sac de voyage de l'autre, j'erre lamentablement le long des couloirs. Je remonte au premier et traverse une nouvelle fois le bar d'un bout à l'autre, sans apercevoir nulle part la gosse. Je redescends et finis par me retrouver à l'extérieur où il pleut à seaux. La nuit commence à tomber. Je me rapproche de la station de taxis pour questionner les chauffeurs à tout hasard lorsque deux hommes m'accostent soudain.

L'un est grand, épais, sanguin, avec un faciès de dogue. En imper verdâtre, il est coiffé d'un feutre cabossé de couleur indéfinissable. L'autre portant chapeau et manteau de cuir noir, assez élégant d'ailleurs, est de format plus réduit et a un mince visage aux traits plutôt fins, aux yeux vifs.

C'est lui qui s'adresse à moi dans un français hésitant.

— Vous semblez chercher quelqu'un, pouvons-nous vous venir en aide?

Je me débrouille assez bien en anglais que j'ai appris, dans le temps, grâce à un Américain du Michigan avec qui je me trouvais à l'atelier des chaises de paille de la centrale de Clairvaux, avant d'obtenir l'autorisation de préparer ma capacité en droit que j'avais passée haut la main pour la plus grande fierté du directeur de la Maison de force et de discipline. Plus tard, j'avais achevé de me perfectionner durant les trois ans que Solange avait vécus à Londres dans l'établissement mondain de *Gladys-la-lady*.

Aussi, je réponds à l'autre.

— Parlons dans votre langue. Et d'abord comment savez-vous que je suis français?

L'homme me dévisage des pieds à la tête et me décoche un sourire tendant à me faire comprendre que ça se voit comme le nez au milieu de la figure.

Passons. Je lui explique que je cherche une amie blonde et lui fais une description de Nathalie. Les deux types échangent un coup d'œil entendu et toujours le même reprend.

— On a vu cette personne, je pense.

— Je pense aussi, approuve son compagnon.

— Où était-elle?

— Elle se dirigeait vers le centre d'accueil qui comporte une infirmerie. Quelqu'un l'accompagnait.

— Pouvez-vous m'indiquer...

— Où se trouve ce centre? Certainement. C'est tout à côté mais nous allons vous montrer le chemin.

Je les suis et nous nous éloignons des voies d'accès à l'intérieur des bâtiments, pour emprunter un passage couvert. Non loin de là stationnent quelques voitures. L'endroit n'est pas très bien éclairé et il n'y a pratiquement plus personne.

Mes bagages commencent à me tirer sur les bras. Je m'informe :

— C'est encore loin ?

— Nous y sommes, répond le plus petit des deux hommes.

Puis brusquement, il se glisse derrière moi et je sens un contact dur dans mon dos tandis que le gros type à tête de pourceau me saisit par un bras et me lance.

— Ne bougez pas et il ne vous sera fait aucun mal. Par contre, montrez vous stupide et mon ami vous dégringole. Avec son silencieux, tout se passera dans le calme. Allons, grimpez.

Il m'arrête devant une longue voiture noire dont il ouvre la portière avant. Le gros me débarrasse de ma valise et de mon sac, les jette sur la banquette arrière où il s'assied tandis que, sans cesser de me braquer l'autre s'installe au volant.

Il démarre et sous les rafales de pluie nous nous éloignons de l'aéroport. J'en suis encore à me demander ce que peuvent bien me vouloir ces deux arcans. Mais ils ne vont pas tarder à s'expliquer.

Le type qui conduit, commence, ayant glissé son arme dans une des poches de son patelot de cuir après que, se penchant sur moi, son acolyte m'ait palpé sur toutes les coutures pour s'assurer que je n'étais pas enfouraillé.

— Vous cherchiez Mme Kavannagh , fait-il, vous allez la voir.

— Tenez, regardez-la donc tout à votre aise, reprend

le gros en me faisant passer par-dessus le dossier de la banquette une grosse enveloppe jaune.

Je l'ouvre. Elle contient une demi-douzaine de photos. Et il me suffit de jeter sur elles un premier regard pour ressentir un drôle de goût d'amertume dans la bouche.

Il y a de quoi. Sur chacune de ces six photos, la gosse parfaitement reconnaissable malgré la grisaille du papier, figure totalement à poil, en train de se livrer à certaines exhibitions en compagnie d'un partenaire dont on ne distingue pas les traits mais qui n'est, à coup sûr, pas son mari.

Je ne suis pas particulièrement pudibond mais j'ai toujours été écœuré par ce genre de productions. Et ce n'est pas la présence de Nathalie sur celles-ci qui risque de me faire changer d'avis.

Malgré tout, je feins l'indifférence.

— Alors?

— Vous vouliez voir la blonde, vous la voyez.

— Zéro. Sa vie privée ne m'intéresse pas. Je ne suis pas acheteur.

— Il n'est pas question de ça.

— Dites plutôt où vous voulez en venir.

— Vous le saurez tout à l'heure, affirme le gros qui récupère enveloppe et photos.

— Nous ne vous connaissons pas et nous n'avons rien contre vous personnellement, lance mon voisin. Nous avons simplement tenu à vous mettre en garde. L'Irlande n'est pas la France et nous n'aimons pas beaucoup, même pas du tout, que quelqu'un se déplace de là-bas pour venir mettre le nez dans nos affaires.

— Attention. Je crois que vous vous égarez et qu'il y a erreur sur la personne. Moi, les histoires politiques et religieuses qui peuvent se passer dans le Nord ou ici, ne me concernent pas et sans vouloir vous désobliger, je vous avouerai même que je m'en fous éperdument.

— Pas question de politique.

— Alors quoi? Si vous tenez à l'apprendre, je suis venu en Eire pour pêcher et chasser, uniquement. Et je n'ai pas l'intention de me mêler des affaires de qui que ce soit dans le pays.

— On dit ça, ricane le gros qui se met à ouvrir ma valise et à farfouiller dans mes effets.

Je me retourne.

— Dites donc, ne vous gênez plus!

— Je n'ai pas l'intention de vous voler, rassurez-vous. Simplement me rendre compte de ce que vous pouvez transporter comme matériel de pêche... ou plutôt de chasse.

Ça doit être très spirituel car il émet un gargouillis qui peut passer pour un rire tandis que le type qui conduit sourit finement, avant de poursuivre.

— Nous sommes mieux renseignés que vous ne le supposez et nous n'ignorons rien du genre de chasse un peu spécial auquel vous êtes venu vous livrer à Dublin.

— Mais...

— Laissez-moi terminer, s'il vous plaît. Je vous disais donc que nous étions parfaitement au courant des motifs de votre venue en Eire et c'est ce qui me permet de vous conseiller de ne pas prolonger votre séjour ici, si vous ne tenez pas à avoir de sérieux ennuis. Que Michael Kavannagh ait agi de façon parfaitement discourtoise en faisant appel à un étranger pour régler à sa place certains différents, est une erreur dont il se repentira. Mais que vous, vous vous livriez à la moindre tentative pour importer ici certaines mœurs de gangsters en honneur sur votre Côte d'Azur, serait plus qu'une erreur. Nous avons jugé de notre devoir de vous en avertir.

– Vous êtes complètement fous.

– C'est bien connu, sourit l'autre, tous les Irlandais sont fous. Fous, mais pas stupides.

A l'arrière, le gros vient de refermer ma valise et s'attaque maintenant à mon sac de voyage.

La pluie tombe un peu moins fort et nous avons atteint les faubourgs de la ville. Il y a peu de circulation et comme les Irlandais ne conduisent pas spécialement vite, la grosse voiture roule sans difficulté, entre deux haies de bâtisses de briques noircies, précédées de minuscules pelouses que limite un alignement de grilles basses.

– Nous n'allons pas tarder à vous rendre votre liberté de mouvement, reprend l'homme au chapeau de cuir noir, vous voyez que nous ne vous avions pas menti en vous assurant que nous ne vous voulions aucun mal, n'est-ce pas ? Alors passez une bonne soirée à apprécier notre whiskey et notre bière, demain reprenez gentiment l'avion pour Paris, et tout se passera bien. D'ailleurs Mme Kavannagh lorsque vous allez la voir, sera la première à vous conseiller d'agir ainsi.

– Vraiment ?

– Vraiment, je vous l'affirme. Elle ne pourra faire autrement dès qu'elle saura que nous avons en notre possession certaines photos... qui parviendraient inévitablement sous les yeux de son mari, si vous envisagiez de vous attarder à Dublin.

— Faites ça et vous verrez ce qui vous arrivera.

— Pas de menaces inutiles. Nous ne sommes ni à Marseille ni à Nice et encore moins en Corse.

Il ralentit, arrête la voiture près du chantier d'un immeuble en construction et se tourne vers l'autre porc.

— Alors?

— Rien.

— Ce monsieur est un homme de précautions.

— Ça signifie quoi? je lance.

— Tout simplement qu'il est toujours un peu délicat de franchir des frontières en étant armé. Mais comme bien entendu ce ne sont pas les pistolets qui manquent à Dublin...

Je ne juge même pas nécessaire de lui répondre.

Le gros achève de reboucler une des courroies de mon sac. Je le vois échanger un regard de connivence avec celui qui est au volant et, une seconde plus tard, tandis que le premier s'appesantit sur moi et me tord le bras droit, en m'immobilisant le poignet, l'autre, ganté de cuir, sort de nouveau son calibre, en enfonce la crosse dans la paume de ma main et, vite fait, referme mes doigts sur l'acier bruni. Puis, m'arrachant l'arme, il l'entoure d'un mouchoir et la reglisse dans la poche de son manteau.

— Moi, aussi, je suis un homme de précautions, sourit-il. Et s'il devait, malgré nos avertissements, se produire un incident choquant, sachez que la découverte, en certain lieu, de ce pistolet portant vos empreintes digitales pourrait peut-être exciter l'imagination de la police. Et maintenant, vous pouvez reprendre vos bagages et descendre. Bon séjour à Dublin!

— Bref séjour! ajoute le gros qui balance ma valise et mon sac de voyage sur le trottoir.

III

En quelques secondes, la voiture noire s'efface dans la nuit et je reste seul sur le trottoir, avec mes bagages à mes pieds. C'est encore une chance, un taxi ne tarde pas à apparaître. Je lui fais signe, il s'arrête, j'embarque et donne au chauffeur l'adresse de Michael.

Très rapidement, nous atteignons le centre et je reconnais O'Connell street qui est en quelque sorte et toutes proportions gardées, leurs Champs-Élysées à eux. L'obscurité est trouée par les halos blafards des hauts lampadaires, l'éclat plus agressif du néon des enseignes et de la publicité lumineuse. Nous circulons maintenant au ralenti, constamment freinés ou retardés par des files de bus à étage, ruisselants d'eau.

Nous dépassons une statue. Un type de bronze en redingote juché sur un large socle de pierre. Mon conducteur qui n'a pas eu de mal à discerner en moi l'étranger, me signale.

— O'Connell, un sacré bonhomme. C'est lui qui, dès le siècle dernier, parvint à arracher au Parlement anglais le bill d'émancipation.

Nous traversons un pont et par-delà les rambardes

de pierre, je distingue le long serpent noir de la rivière qui traverse la ville.

– La Liffey, annonce le chauffeur.

A travers les brumes de l'alcool arrosant les interminables noces de Nathalie et de son Irlandais, j'en avais gardé un souvenir plutôt flou. Comme de toute la ville d'ailleurs.

– Nous arrivons, reprend le taxi.

Nous remontons une rue en pente, passons devant une église et quelques rues plus loin, la voiture finit par s'arrêter devant un immeuble dont le rez-de-chaussée porte, griffant la nuit, le nom « Capri » dessiné en lettres de feu.

– C'est là.

Je règle et descends. La pluie tourne maintenant au crachin. Je me retrouve devant l'entrée d'un restaurant à façade de chêne sculpté, coupée sur toute sa longueur par une vitrine derrière laquelle s'accumulent les flasques de chianti, des jambons, saucissons, poivrons, piments, tomates et bocaux d'olives voisinant avec des poupées italiennes, un panorama de Naples et du Vésuve servant de décor de fond.

J'ouvre la porte vitrée que masque un lourd rideau de reps rouge vif et pénètre à l'intérieur.

Une salle basse de plafond, aux poutres apparentes, et aux murs couverts de vieilles boiseries. Une grande carte de la botte, peinte à la main en couleurs criardes, est accrochée au-dessus de la cheminée ou crépite un feu de bûches.

Pour l'instant, il n'y a encore aucun client mais, autour des tables portant des flambeaux d'argent dont les chandelles noires ne sont pas encore allumées, deux jeunes serveuses blondes plutôt agréables à regarder et qu'on devine assez bien roulées sous leur blouse de nylon bleu ciel, s'occupent sans précipitation à dresser des couverts. Elles me saluent d'un vague sourire.

— M. Kavannagh?

— Nous ne l'avons pas encore vu, fait la plus grande des deux filles qui semble également la plus délurée. Il doit être dans l'appartement, au premier. Je dois vous annoncer?

— Inutile. Il m'attend.

— Dans ce cas, passez par cette porte.

Elle ouvre un battant donnant sur un corridor sombre aboutissant à un escalier. Je grimpe jusqu'au premier palier où une unique porte légèrement entrebâillée laisse filtrer un rai de lumière. Je sonne.

Personne ne répond. J'insiste. Mais comme Michael ne se pointe toujours pas, je finis par entrer dans l'appartement. Je traverse un vestibule décoré de tapisseries représentant des scènes de chasse au faucon. Deux grosses lanternes de bateau en cuivre baignent de leur clarté crue le couloir désert au bout duquel une porte est grande ouverte.

En trois enjambées, j'atteins le seuil de la pièce, un vaste living éclairé par une colonne lumineuse formée d'éléments superposés en verre partie opalin, partie transparent.

Au premier coup d'œil je fais une sale découverte. Entre deux fauteuils de cuir blanc, disposés de part et d'autre d'une banquette de même couleur, étendu sur la moquette bleu vif couverte presque entièrement de peaux de zèbre et de poulain, se trouve Michael, bâillonné, saucissonné et le visage maculé de sang caillé.

Abandonnant mon sac et ma valise, je me précipite vers lui. Il roule des yeux furieux mais a soudain un regard de soulagement en me voyant surgir. Je le débarrasse en premier de son bâillon et avec mon mouchoir essuie le sang séché noirâtre qui lui obstrue les narines.

— Que s'est-il passé, Michael?

— Débarrasse-moi donc de ces cordes, je t'expliquerai après, s'impatiente-t-il.

Je déniche un couteau dans le tiroir d'un bahut et tranche la cordelette à linge qui le ligotait des pieds à la tête. Sans effort, il se remet sur pied, se libère de ses derniers liens et se masse la nuque avec une grimace de douleur.

— Les salauds, qu'est-ce qu'ils m'ont mis!

— Mais qui?

— Est-ce que je sais? Je devais recevoir un coup de fil important et urgent ce qui m'avait empêché d'accompagner Nathalie. Je vous attendais ici en faisant des comptes, lorsque, tout à coup, on a sonné à la porte. Je suis allé ouvrir et je me suis trouvé devant deux types masqués de passe-montagne dont l'un a commencé par me braquer un revolver sur le ventre tandis que l'autre me balançait un coup de matraque en pleine face puis passait derrière moi et cette fois, frappait comme un sourd juste ici, là, sur l'occiput. A la deuxième volée, je me suis écroulé, liquidé, plongé dans le black-out total. Je ne sais pas combien, j'ai pu y rester. Quand tu es arrivé, il devait y avoir une demi-heure que j'avais repris conscience.

Une fois de plus, il passe sa main entre ses longues mèches de cheveux roux pour se caresser le bas du crâne.

Je le questionne.

— Mais avant de te dégringoler, ils ne t'ont rien dit?

— Pas un mot.

— Il faudrait savoir s'ils sont venus pour voler quelque chose.

— On va voir. Mais avant, suis-moi jusqu'à la salle de bains, que je me débarbouille.

Il est sur le point de tourner les talons lorsqu'il se retourne vers moi.

— Mais Nathalie? Elle est restée en bas?

— Non.

— Alors quoi? Elle est allée faire des courses? Ça m'étonne qu'elle t'ait lâché si vite, elle se faisait une telle joie de te revoir. Moi aussi d'ailleurs.

Je suis plutôt gêné d'avoir à lui apprendre ce qui s'est passé mais gêné ou pas, il faut bien que je le sorte.

— Écoute, Michael, je n'y comprends absolument rien...

Je commence à lui raconter comment nous nous sommes retrouvés avec sa femme et la façon dont elle a disparu. J'omets simplement de lui faire part de l'inquiétude qu'avait manifesté Nathalie à son sujet, me bornant à lui dire qu'assoiffé, j'avais tenu à boire un verre au bar de l'aéroport avant de regagner la ville.

Tout en m'écoutant, il fait une triste figure et, tremblant de nervosité, lui ordinairement si placide, m'interrompt par des questions.

— Mais ce type qui lui a, soi-disant, porté secours, comment était-il ? Jeune, vieux ? Petit, grand, gros ?

— Tout ce que je sais c'est ce qu'a bien voulu me dire la dame-pipi et imagine-toi que du monde, elle doit en voir défiler dans sa journée.

— Nathalie avait-elle l'air fatiguée lorsqu'elle a quitté la table où vous vous trouviez ?

— Pas du tout. Peut-être un peu soucieuse. Disons que lorsqu'elle s'est levée, j'ai eu l'impression qu'elle cherchait à se rendre compte si personne ne la guettait. Mais ce n'est qu'une impression...

— Il aura fallu qu'on la drogue pour qu'elle se laisse emmener.

— On ne drogue pas quelqu'un comme ça.

— Qui prouve qu'en te quittant, elle n'a pas bu une consommation avec cet homme à l'autre bout du bar. De ta place, tu aurais pu la repérer ?

— Non. Il y avait trop de monde autour du comptoir et d'ailleurs, je n'avais aucune raison de prêter attention à ce qui pouvait se passer tout au fond de la salle.

— C'est à se casser la tête contre les murs. Nathalie n'est pas quelqu'un à se laisser aborder dans un bar par un inconnu.

— Qui prouve que l'homme en question était un inconnu pour elle ?

— Tu as raison. Je ne sais plus que dire des stupidités.

— Mais attends, ça n'est pas tout...

Je me mets à lui parler de ce qui m'est arrivé à moi et de la réception dont m'a gratifié un certain comité d'accueil, en évitant, bien entendu, de faire mention des photos que les deux autres m'ont collées sous les yeux.

Je lui décris les types autant que je peux le faire sans qu'il réagisse. Michael secoue la tête.

— Je ne vois pas, absolument pas. Après tout, il s'agit peut-être d'une méprise ?

— Certainement pas. Eux semblaient très exactement savoir qui tu es. Et la seule méprise qu'il y ait eu, c'est qu'ils aient pu supposer que je venais à Dublin pour régler son compte à quelqu'un.

Tandis que je lui racontais ma promenade en voiture, le mari de Natou est passé dans le cabinet de toilette et s'est lavé le visage. Il se jette un coup d'œil dans la glace qui surplombe le lavabo.

— Trois fois rien, estime-t-il. Un simple saignement de nez. Je suis trop sanguin. Par contre, mon crâne a compris, lui.

Un peu trop sanguin, c'est sûr. Je le trouve grossi, légèrement soufflé et ses joues ont pris une teinte brique qui fait paraître encore plus bleus ses yeux d'Irlandais candide.

— Si tu descendais interroger tes serveuses au sujet des deux fumiers qui t'ont agressé. Pour monter à l'étage, il a bien fallu qu'ils passent par le restaurant.

— Pas forcément. Il y a une entrée qui donne directement sur la rue et la porte n'est jamais fermée à clef. Et puis ce qui m'est arrivé est sans importance ; ce qui compte c'est ce qu'est devenue Nathalie.

— Tu ne penses pas que les deux choses peuvent être liées ?

— Liées ?... liées ? bredouilla-t-il, l'air complètement perdu.

— Et liées également avec ma petite aventure personnelle. Car enfin, il a bien fallu que mes deux malfrats suivent Nathalie pour me repérer. Qui dit alors qu'il n'y en avait pas un troisième pour s'occuper d'elle?

— Et deux autres encore pour s'intéresser à moi. Pourquoi pas toute une armée?

Je regarde Michael droit dans les yeux.

— Dis-moi, tu ne t'occuperais pas un peu de politique, toi?

— Jamais de la vie, rétorque-t-il sans l'ombre d'une hésitation.

Nous sommes revenus dans le living et Michael s'est approché d'un bar en acajou qui occupe un des angles de la pièce.

— On devrait boire quelque chose, suggère-t-il avec la voix de quelqu'un qui semble de moins en moins dans son assiette.

Il sort une bouteille de whiskey irlandais, deux verres et se prépare à remplir celui qu'il me destine.

— Tu m'arrêteras.

— Inutile. Je ne bois plus sauf un peu de vin aux repas.

Il a un rictus qui creuse des fossettes dans ses joues.

— Eh bien, il va falloir que tu changes tes habitudes, François, parce qu'ici, on boit.

— Tu oublies mon foie.

— Oh là là ! vous, en France, vous ne savez parler que de votre foie. En Irlande, le foie on ne connaît pas. Je ne pense même pas que l'objet figure dans les traités d'anatomie.

— Possible, mais pour moi ce sera un jus de fruit.

Il me sert un verre de jus de pamplemousse et s'administre à lui-même la forte dose de whiskey, sans eau ni glace, qu'il boit d'un trait.

Il sort d'une des poches de son veston de tweed un paquet de Carrolls n° 1 et m'offre une cigarette.

— Merci. Je ne fume plus... sauf un cigare de temps en temps.

Il me jette un regard de compassion.

— Sage, hein?

— Bien obligé.

Lui s'autorise une nouvelle rasade qu'il ingurgite aussi vite que la première. Je lui pose la main sur le bras.

— Dis-moi, Michael, Nathalie était-elle en bonne santé, ces temps derniers?

— Pourquoi me demandes-tu ça?

— Une idée qui me vient. Et si tout simplement, elle avait été réellement prise d'un malaise aux toilettes, un vertige, une absence, est-ce que je sais? Et qu'un type lui ait porté secours...

Michael balaie ma suggestion d'un geste de la main.

— Impossible. Nathalie a une santé de fer.

— Alors il ne te reste plus qu'à prévenir la police.

Il passe sa large patte à rebrousse-poil dans ses boucles rousses, avec une expression de profond désarroi sur son visage.

— Il faudrait, hein?

— Je ne vois guère d'autre solution.

— Mais ils vont nous rire au nez. A Dublin, on n'enlève pas comme ça les gens en plein jour... ni en pleine nuit, non plus, d'ailleurs. Et si brusquement, elle réapparaît? Tout le monde va se payer ma tête.

— Parce que tu penses qu'elle a des chances de réapparaître?

Il esquisse une moue.

— Est-ce qu'on sait? Vois-tu, François, Nathalie a une santé de fer, c'est vrai mais depuis quelques semaines, elle est devenue si bizarre...

— Bizarre comment?

— Des sautes d'humeur, des crises de cafard inexplicables... on ne sait jamais trop ce qui peut lui passer par la tête.

— Michael, dis-moi la vérité. Vous vous entendiez toujours bien, Natou et toi?

Du coup, sa face s'empourpre et il a un haut-le-corps.

— Nathalie? Mais je donnerais ma vie pour elle. Comme au premier jour où je l'ai rencontrée, je suis amoureux d'elle.

— Tu te connais des ennemis ici, Michael?

— Moi? Certainement pas. Les Kavannagh sont une vieille famille de Dublin. Tout le monde sait qui je suis, pourquoi aurais-je des ennemis?

Je hausse les épaules, sans répondre. Il s'est reversé une nouvelle ration de whiskey et je commence à trouver un goût amer à mon jus de pamplemousse. Mais le régime est le régime. Et Solange m'a bien recommandé de garder mes distances avec les alcools.

Je prends dans la poche-briquet de mon pantalon la boîte de cachous qui s'y trouve en permanence depuis que je ne fume plus et ne bois plus guère, et en porte une demi-douzaine à ma bouche. Je commence à les mâchonner lorsque la sonnerie du téléphone retentit dans la pièce.

Michael va décrocher et répond par monosyllabes.

— Oui... oui... c'est moi... oui, il est ici... bien, je vous le passe.

Il se tourne vers moi, me tendant le combiné.

— Ta femme qui veut te parler .

J'entends la voix de Martine, une des secrétaires de l'agence.

— Bonjour, Monsieur. Je vous passe Mme Guiol.

Quelques instants de silence, puis Solange prend le relais.

— François ?

— Oui.

— Ah, tu es là.

— Où voudrais-tu que je sois ?

J'ai la prétention de bien connaître ma femme et la façon dont elle s'exprime me laisse perplexe.

— Qu'y a-t-il , Solange ?

— Rien, je voulais simplement savoir si tu étais bien arrivé.

Je n'en crois pas un mot. Nous étions convenus que ce serait moi qui l'appellerais dans la soirée.

Je n'ai pas pour habitude de jouer au plus fin avec Solange ni de lui dissimuler mes impressions. Elle ne l'ignore pas et, de son côté, sait mal me mentir. Aussi je poursuis.

— Toi, tu me caches quelque chose.

— Mais non.

— Mais si.

— Écoute, François, je ne voudrais pas te gâcher ton séjour alors que tu viens à peine d'arriver.

— Tu ferais mieux de parler.

— Eh bien, j'ai reçu un coup de fil, il y a dix minutes...

— Un coup de fil de qui ? Et qui disait quoi ?

— De qui, je n'en sais rien. Une voix d'homme avec un accent... c'est Martine qui a pris la communication mais c'est moi qu'on a réclamée.

Je commence à m'impatienter et donne de la voix.

— Mais pour t'annoncer quoi ?

— Que tu n'avais pas quitté Paris et que tu ne t'y trouvais pas seul.

— Comment ? Qu'est-ce que c'est que cette salade ?

— Je me borne à te répéter ce que l'autre type m'a dit.

— Eh bien entendu, tu l'as cru ?

Elle hésite un peu mais fini par avouer :

— Est-ce que je savais, moi ? Vous les hommes, hein...

— Oh, dis. C'est toi-même qui m'a retenu le billet d'avion pour Dublin.

— Et ça prouve quoi ? Rien du tout.

Elle marque encore un temps très court de silence avant de me lancer son filet de venin.

— ... d'autant plus que ta chère amie Mme Zerbani a quitté Cannes depuis hier... coïncidence.

— Oh là ! là !

Si elle savait comme elle retarde, cette pauvre Solange. S'imaginer que je peux être à Paris en partie fine avec Lila Zerbani alors que nous ne nous adressons plus la parole depuis au moins six mois.

Je me sens très dégagé pour rassurer ma panthère.

— Voyons, voyons, Solange, quelle idée... toujours aussi jalouse alors ? Eh bien, sache que je suis arrivé ici depuis plus d'une heure et que je me trouve chez Michael et Nathalie, comme prévu, tu le constates.

Instantanément, elle se rassérène.

— Fais la bise à Michael. Nathalie est près de toi?

— Non... Elle fait quelques courses.

— Elle va bien?

— Oui.

— Tu l'embrasseras très fort.

— Comme si c'était toi.

— Toi, je n'ai pas besoin de te dire ce que je te fais.

— Moi aussi.

— Tu m'appelleras demain?

— Promis.

Sur un bruit de baiser dans l'appareil, elle raccroche.

Voyant mon air contrarié, Michael s'enquiert :

— Quelque chose qui ne va pas avec Solange?

— Trois fois rien. Un saligaud a jugé malin de lui passer un coup de fil pour lui faire croire que j'étais à Paris en train de faire la bringue avec une nana. C'est tout.

Le mari de ma filleule me coule un regard mi-figue, mi-raisin.

— Tu as des ennemis à Cannes, François?

— Non, quelle idée.

— Tu m'as bien demandé si, moi, j'en avais à Dublin.

Je ne peux retenir une réaction d'agacement.

— Moi, je sais où se trouve ma femme, Michael.

Mais tout de suite, je regrette mon mouvement d'humeur.

— Excuse-moi, Michael. On s'énerve.

— Ce n'est rien. Tu sais, ce coup de fil que ta femme a reçu ne me plaît pas du tout.

— A moi non plus, il ne plaît pas. Et après ?

— Ça prouve au moins qu'il y a des gens qui ne te veulent sans doute pas de bien.

— Quel rapport avec Nathalie ? Pourquoi des ennemis à moi, viendraient-ils s'en prendre à ta femme ?

Michael esquisse un sourire amer qui ne découvre aucune de ses dents.

— Tu sembles oublier que ma femme est aussi ta filleule.

Là, il a touché la corde sensible. S'en prendre à Nathalie ce serait m'atteindre en plein cœur. Seulement, il n'existe pas la plus petite raison pour que quelqu'un ait à se venger de moi.

Je me laisse tomber entre les bras d'un des fauteuils de cuir blanc, tout en lançant à Michael.

— Écoute-moi. Procédons par ordre. Commence par vérifier si les deux types qui t'ont assommé et saucissonné, n'ont rien fauché chez toi. Si quelque chose a disparu, ça pourrait constituer un indice.

— Mais quel rapport avec Nathalie ?

— On ne sait jamais. Va, je t'attends ici.

— Je me demande bien ce qu'on pourrait trouver à faucher ici, grommelle Michael, tout en s'éloignant vers la porte de communication. Au point où en sont mes affaires, il faudrait que ce soit une paire de damnés idiots pour avoir eu l'idée de venir me cambrioler. Le Seigneur m'est témoin.

IV

Je me verse un nouveau jus de pamplemousse et me plonge dans un abîme de réflexions.

Je me débats entre les suppositions les plus folles et les plus absurdes lorsque moins d'un quart d'heure plus tard, Michael me rejoint, l'air perplexe.

– J'ai visité tout l'appartement, le second étage également qui nous appartient et où tu auras ta chambre mais, sincèrement, je n'arrive pas à conclure quoi que ce soit. Des objets, des papiers me semblent avoir été déplacés mais c'est tout juste une impression. De toute façon, je te le répète, il n'y a rien ici qui puisse intéresser des voleurs et ça se sait.

– Si on ne t'a pas matraqué et ligoté pour te cambrioler, alors je suis fatalement amené à penser qu'il s'agissait d'un avertissement qu'on a voulu te donner.

Michael arque ses sourcils roux et écarquille de grands yeux.

– Un avertissement ? Mais m'avertir de quoi ?

Je n'ai pas le temps de lui répondre. A peine vient-il d'achever sa phrase que le téléphone sonne. Michael fonce décrocher.

– Oui, c'est moi Kavannagh.

Quelqu'un lui parle et, au bout de quelques secondes il me tend l'écouteur.

Je perçois une voix très basse, certainement déformée à dessein, détachant chaque syllabe de la même façon qu'un quelconque corbeau rédigerait une saloperie anonyme en lettre d'imprimerie. C'est assez pitoyable et ce serait risible s'il ne s'agissait pas du sort de Nathalie.

— ... Mon cher Kavannagh, nous sommes heureux de vous rassurer au sujet de la santé de votre femme qui devait vous donner une certaine inquiétude. La ravissante Nathalie se porte à merveille et ne semble pas trop s'ennuyer auprès de nous. C'est malgré tout une situation qui ne peut pas s'éterniser pour elle d'abord, pour nous et pour vous.

— Damné bâtard! hurle Michael dans le micro.

— Tst, tst, tst...

Du coude, je touche le bras de mon compagnon pour lui faire saisir qu'il vaut mieux laisser parler l'autre ordure. Il se tait.

— Nous ne demandons pas mieux, poursuit notre interlocuteur, que de vous renvoyer Mme Kavannagh en aussi bonne forme physique que nous l'avons trouvée cet après-midi mais cela suppose évidemment l'acceptation de votre part de certaines conditions inévitables.

— Combien? lance Michael sur un ton plus calme, très froid même.

— Disons cinquante mille livres.

— Comment? s'égosille le mari de ma filleule. Cinquante mille livres? Vous avez perdu la tête?

J'ai eu froid dans le dos, de mon côté. Cinquante mille livres, ça représente à peu près soixante-cinq millions de nos anciens francs. Une paille.

— Mais enfin, poursuit l'anonyme, vous n'aimez pas votre femme ou peut-être n'avez-vous pas pour elle toute l'estime qu'elle mérite? Michael exhale un soufflement de phoque, tandis que l'autre continue :

— Les courses vous rapportent suffisamment, Kavannagh, pour que cette petite somme consacrée au salut de votre femme, ne compromette en rien l'équilibre de votre budget.

— Vous vous moquez de moi? Je perds tout ce que je veux aux courses.

— Cela ne saurait nous intéresser. De toute façon, s'il vous manquait une somme d'appoint, le parrain de Nathalie, M. François Guiol à qui nous souhaitons un agréable séjour en Irlande, ne pourrait manquer de faire un geste.

— Ils te connaissent, murmure Michael, en obturant le micro de sa large paume.

Je ne peux que lui faire une mimique d'incompréhension, avant de lui suggérer.

— C'est Nathalie qui aura parlé de moi et de ma venue ici.

— Alors? s'enquiert la voix sourde. C'est oui?

— Mais je ne possède pas le dixième de cette somme.

— Mme Kavannagh possède, elle, de bien jolis yeux. Que ne ferait pas l'homme qui l'aime pour les lui conserver?

— Assez, porcs sanglants!

— Vous avez de nombreux amis, cher Kavannagh, comment supposer qu'ils se refuseraient à vous donner un coup de main en une si délicate circonstance?

Je fais signe à Michael de me laisser le combiné et, à mon tour, je questionne :

— Et qui nous prouve que Nathalie est en ce moment avec vous ?

L'autre paraît un instant décontenancé puis lance :

— Qui est à l'appareil, s'il vous plaît ?

— Guiol, le parrain de Nathalie.

— Ah, bien, très bien. Vous êtes comme tous les Français, monsieur Guiol, il vous faut des preuves, toujours des preuves. Jamais vous ne faites confiance à la parole d'un gentleman.

— Gentleman mes couilles !

— Allons, allons. Si vous étiez vous-même un gentleman vous ne vous exprimeriez pas d'une aussi vulgaire façon. Mais c'est un détail. Vous ne croyez pas que Mme Kavannagh est à notre merci, eh bien, vous allez l'entendre.

Il y a quelques instants de silence puis dans l'écouteur retentit brusquement la voix de ma filleule.

— Parrain... parrain, tu es là ? C'est moi, Nathalie. J'ai peur... il faut à tout prix me tirer de là... ils sont capables de...

On a dû l'écarter du micro car c'est de nouveau le silence. Mais il n'y a pour moi pas le moindre doute. La voix qui m'a parlé était incontestablement celle de la gosse.

— Alors, monsieur Guiol, ceci suffit-il à vous convaincre ? reprend la voix feutrée. Maintenant si vous le voulez bien, repassez-nous le cher Michael.

Je rends le combiné au mari de Nathalie qui est verdâtre et je reporte l'écouteur à mon oreille. Nous laissons la parole à l'autre.

— Nous disons donc cinquante mille livres, en billets usagés à nous remettre dans les quarante-huit heures. Faute de quoi, vous recevrez à domicile une des oreilles de Mme Kavannagh qui en possède de bien jolies. L'autre suivra le lendemain. Puis les doigts, un à un. Ceux des pieds d'abord, puis ceux des mains. Quelles merveilleuses mains et quels petits pieds admirables peut s'enorgueillir d'avoir votre épouse. Et si tout cela n'a pas suffi à vous rendre raisonnable, cher vieux Kavannagh, eh bien alors tant pis. Tout, dans ce monde, a une fin, n'est-il pas vrai?

Le front de Michael ruisselle de sueur et il halète comme un chien qui a trop couru.

— Vous êtes de bien ignobles personnes, jette-t-il, en ayant du mal à articuler. Mais, en admettant que je puisse réunir cette somme dans des délais convenables, qui me prouve que vous relâcherez ma femme saine et sauve?

— Notre parole de gentleman.

— Oui, je vois. Et où et à qui devrais-je remettre la rançon?

— Nous donnerons en temps utile toutes les indications nécessaires à votre employé M. Janos.

— A Janos? Mais pourquoi à Janos?

— Parce que nous l'avons décidé ainsi. Autre chose mais est-ce bien utile de le préciser, si vous-même ou votre ami français, vous avisiez de prévenir la police ou la presse, dites-vous que vous ne pourriez que faire le malheur de Mme Kavannagh. Bye-bye.

Ce sont les derniers mots de l'immonde salaud qui raccroche.

V

— Cinquante mille livres, répéta Michael, en se versant une nouvelle rasade de whisky, ce sont d'abominables fous. Jamais je ne pourrai payer une telle somme et Nathalie va y laisser sa vie.

Avec Michael, encore abasourdis par le coup de fil, nous étions restés près du petit bar, lui derrière le comptoir, moi perché sur un haut tabouret. J'avais repris un jus de fruit tandis que le mari de ma filleule continuait à carburer au whiskey.

— Tu n'as pas d'amis qui pourraient te donner un coup de main?

La réponse fusa sèchement.

— Non.

— Parmi les cousins qui étaient là pour ton mariage?

— Ils sont tous plus pingres qu'une compagnie de highlanders.

— Écoute-moi, Michael, en ce moment je ne suis pas cousu d'or et les affaires dans l'immobilier ne sont plus ce qu'elles étaient. Les politiciens se sont mis dans le fromage et c'est une fichue concurrence, je te jure. Malgré tout, pour Nathalie, je serais prêt à racler mes fonds de tiroir et je suis sûr que Solange serait d'accord. Disons que je pourrais mettre dans les dix millions anciens dans la corbeille.

Spontanément, Michael m'embrassa sur les deux joues mais la seconde suivante, eut un haussement d'épaules découragé.

— Merci, parrain, merci... je ne sais pas comment t'exprimer... seulement c'est tout à fait inutile.

— Mais, bon sang, tu dois quand même pouvoir trouver de quoi ajouter quelque chose. Ça ferait toujours une base de discussion avec les autres salauds. Ton restaurant ? Tu ne peux pas emprunter dessus ?

Michael secoua la tête, d'un air navré. L'expression puérile d'un écolier pris en faute.

— Personne ne m'avancera un penny. J'ai des dettes, François, de grosses dettes. Les chevaux m'ont dévoré pas mal d'argent avec leurs dents jaunes et j'ai fait, depuis un an, des spéculations pas toujours heureuses. Alors, tu vois ?

— Ça se sait à Dublin ?

— Oh oui, ça se sait.

Je me grattai le front.

— Je me demande en ce cas pourquoi les autres ont précisément choisi d'enlever ta femme et de te réclamer une rançon. Bon Dieu, on se renseigne habituellement.

— Je suppose. Mais j'en viens à supposer aussi que s'ils sont si mal au courant de ma situation financière, c'est peut-être que les ravisseurs de Nathalie ont fraîchement débarqué en Irlande.

— Précise. Tu penses à quoi ? à qui ?

— Je pense à la question que je t'ai posée tout à

l'heure, François : tu ne te connais vraiment pas d'ennemis ?

Là, ça devenait une attaque directe. Je réagis.

— Dis-moi, Michael, que le coup dur qui t'arrive, t'assomme et que tu aies de la peine à en crever, je comprends mais il ne faudrait quand même pas perdre la tête. Si je te saisis bien, ces gens qui me voudraient du mal m'auraient devancé à Dublin dans l'unique but de mettre la main sur ta femme.

— Ta filleule.

Je frappai le comptoir de cuivre du plat de la main.

— Mais je te répète que je ne me connais pas d'ennemis. Cannes est une ville paisible, mon affaire est saine et je ne m'occupe pas de politique. Pour qui me prends-tu à la fin ?

Un sourire un peu amer, un peu narquois se dessina sur les lèvres de mon vis-à-vis qui se mit à me fixer droit dans les yeux.

— François, laissa-t-il tomber, Nathalie m'a tout raconté.

— Raconté quoi ?

Je ne voyais réellement pas ce qu'elle aurait pu dire sur mon compte. Elle avait toujours tout ignoré de mes activités passées aussi bien que de celles de son père. Quant à sa pute de mère, elle la croyait morte en lui donnant naissance.

Le sourire de Michael s'accentua.

— François, reprit-il, Nathalie n'est pas une sotte et ce n'est plus une petite fille. Et si toi tu ne lui as jamais rien dit concernant ses parents, d'autres s'en sont chargés. Et par loyauté, elle ne m'a rien caché ni de l'homme qu'était son père, ni de celui que tu es.

Il me regarda encore longuement puis posa sa main aux poils roux sur la mienne.

— Ça ne m'a rien enlevé de l'estime que j'ai pour toi, sache-le bien. Seulement, dans les circonstances présentes, ça peut peut-être autoriser des hypothèses.

— Aucune. Je suis rangé depuis des années et je n'ai plus rien à faire ni avec la police ni avec le milieu. Il faut que tu me croies sinon tu vas t'embarquer dans des suppositions absurdes.

Ses paupières se baissèrent.

— Il faut bien que je te croie.

Le ton manquait de conviction mais je n'insistai pas.

— Écoute-moi bien, poursuivis-je, puisqu'il est hors de question de payer les cinquante mille livres qu'ils réclament, sans doute pourrions-nous tenter de retrouver les types qui détiennent Nathalie?

— Tu tiens à la faire couper en petits morceaux?

— Ne nous emballons pas, fils. Si nous savons nous montrer prudents, rien n'arrivera à ta femme. Très prudents et très rapides. Nous disposons de quarante-huit heures, essayons de les mettre à profit.

— Comment veux-tu? Tu ne vas tout de même pas mettre des annonces dans les journaux pour les joindre?

— Michael, il y a en tout cas quelqu'un qu'il nous faut contacter de toute urgence, c'est ce Janos, dont l'autre a parlé.

— Janos, c'est le cuisinier... un Hongrois. Il est sûrement à ses fourneaux, on va descendre le voir.

— Tu as confiance en lui?

— Totalement. Un type très bien. Il était instituteur à Budapest d'où il est parti au moment des événements de 56. Il vit en Irlande depuis plus de dix ans. Honnête, sérieux, capable, avec un joli penchant pour la bière et le whiskey. Mais tu ne trouveras pas un chrétien ici, François, pour venir te prétendre que c'est un péché. Ou alors nous sommes tous bons pour l'enfer, nos parents s'y trouvent déjà et nous y attendrons nos enfants.

— Pour l'instant, nous sommes encore sur terre et j'aimerais bien que rien ne vienne empêcher ma filleule d'y prolonger son séjour. Montre-moi donc ton oiseau rare.

Une seconde plus tard, nous débouchons dans la salle et Michael oblique vers la cuisine qui est d'une propreté parfaite, trop parfaite même, mais où il n'y a personne. Le grand fourneau est éteint, les casseroles vides et sur la table un tas de tomates voisine avec de l'ail, des oignons, un plat de viande hachée et des pommes de terre non épluchées.

— Dieu! lâche Michael, avec, cette fois, de la fureur dans son œil clair.

Il repassa dans la salle et interpella la plus petite des deux blondes qui, seule, se trouvait là, en train d'écrire des menus à la main.

— Kathleen! Où est passé Janos?

L'autre lui coula un regard de veau.

— Il n'est pas encore arrivé, Sir.

Michael demeura calme mais la colère fit battre une petite veine sur sa tempe gauche.

— Très incorrect, laissa-t-il tomber sur un ton aigre, cet ivrogne est très incorrect. Dans moins d'une heure, les premiers clients vont commencer à arriver et rien n'est prêt. Les pommes de terre ne sont même pas épluchées.

Kathleen qui se sent visée, se défend.

— Dearbhla et moi, attendions les ordres de Janos pour commencer.

— Eh bien, appelle Dearbhla et filez à la cuisine éplucher ces pommes de terre en vitesse.

L'autre ne demande pas son reste et disparaît.

— Je sais où doit encore être ce pochard, poursuit Michael, au « Neary's » un pub du secteur situé à côté de l'entrée du « Gaiety Theatre ». Double avantage pour lui, il peut boire et lorgner les comédiennes. Dès qu'il a un instant de libre, on le retrouve là. Je vais l'appeler et qu'il soit maudit s'il ne rapplique pas ici dans les cinq minutes.

Il fonce vers la caisse, décroche le téléphone, compose son numéro et se met à parler si vite que je perds les trois quarts de ce qu'il raconte. Mais à sa tête, je devine qu'il n'est pas particulièrement satisfait de ce qu'il entend. Il en termine d'ailleurs rapidement et se tourne vers moi.

— Il n'est pas au « Neary's ». Il y est passé il y a plus d'une heure, mais déjà totalement ivre. Je n'ai pas l'impression qu'on va pouvoir compter sur lui. Kathleen!

La petite blonde tenant en main un couteau-éplucheur, pointe son museau.

— Oui?

— Arrêtez l'épluchage, éteignez l'enseigne, bouclez la porte et accrochez la pancarte des jours de fermeture.

Il continue en s'adressant à moi.

— Sorry, François. Navré de te mêler à tous ces ennuis ridicules.

— Aucune importance. Mais ton Janos, ça lui arrive souvent de te laisser tomber au dernier moment ?

— C'est la première fois. Boire, c'est tous les jours mais, en forme ou non, il est toujours à l'heure à ses fourneaux. Je me demande ce qui a pu lui passer par la tête...

— Ce Janos, comment est-il ?

— Je te l'ai déjà dit. Quelqu'un de convenable. Instruit, bien élevé, intelligent.

— Ce n'est pas ça que je te demande. Comment est-il physiquement ?

— C'est un type d'une quarantaine d'années, plutôt grand, mince, très brun. C'est tout ce que je peux te dire.

— Un instant.

J'arrête au passage Dearbhla, la plus grande des deux serveuses, qui a en main une pancarte de carton portant l'inscription « **Closed** » et je l'interroge.

— Dites-moi un peu , vous, que pensez-vous du chef ?

Elle commence à rougir comme une pivoine avant de répondre.

— Il est sympathique, très sympathique, oui. Avec Kathleen, nous l'aimons bien.

— Vous voulez dire qu'il vous plaît ?

La blonde jette un regard vers son patron qui lui fait signe de parler.

— C'est un bel homme, fait-elle, oui, vraiment, c'est un bel homme.

— Merci. Allez accrocher votre pancarte.

Elle file tandis que Michael me regarde avec l'air de se demander si je ne déraille pas un peu.

— Qu'est-ce que ça peut bien te faire de savoir si mon cuisinier est bel homme ou non?

— Je voulais le situer, c'est tout.

— Tu crois que nous n'avons pas à nous préoccuper de choses plus urgentes? Et Nathalie, alors?

— Précisément, il y a quelqu'un, qu'il nous faut joindre de toute urgence, c'est ton cuisinier.

— Janos? Mais il ne saura rien de plus que nous au sujet de ces salauds.

— Peut-être. Seulement n'oublie pas que c'est lui que les autres doivent contacter pour te faire connaître les conditions du règlement. Mettons donc la main sur Janos et avec lui, nous pourrons essayer de combiner quelque chose. Où penses-tu qu'on peut le trouver?

— Est-ce que je sais?

— Il n'est pas marié?

— Non.

— Il a bien une petite amie, j'imagine?

— Je n'en sais rien. Nous ne parlons pas de ces choses.

— Tu connais tout de même son adresse?

— Naturellement. Mais à cette heure-ci, nous n'avons aucune chance de le trouver chez lui.

— Michael, c'est la bonne heure pour les gens qui boivent.

— Et alors?

— Alors, s'il est aussi porté sur l'alcool que tu le dis, c'est dans un bar que nous le retrouverons.

— Il y a plus de mille pubs à Dublin, François, laisse tomber mon compagnon, sur un ton d'accablement.

VI

Nous sommes sortis du restaurant par une petite porte utilisée pour les livraisons et nous nous sommes retrouvés sur le trottoir. La pluie avait cessé de tomber mais l'asphalte demeurait luisant et les ruisseaux roulaient une eau boueuse.

Il était sept heures et les magasins commençaient à boucler leurs grilles et certains à éteindre leurs lumières. Les rues étaient emplies d'une foule qui se clairsemait rapidement au hasard des arrêts de bus, des portes, des entrées de pubs et des trous d'ombre de la nuit.

— Ma voiture est en réparation, m'annonça Michael, je ne l'aurai que demain. Mais puisque nous allons d'abord passer au « Neary's », nous n'en avons pas pour cinq minutes à pied.

Nous nous sommes engagés dans une rue sombre qui coupait Grafton street, la grande artère commerçante aux vitrines illuminées. Très peu de temps après, nous nous retrouvions devant la porte d'un pub que son enseigne de néon désignait comme étant le « Neary's ».

Un gosse tout jeune, chargé d'un paquet de journaux plus gros que lui, en sortait. Des as dans leur genre, ces minots de Dublin, vendeurs de canards, avec leurs joues rondes et rouges, leurs yeux candides et leurs tâches de rousseur. Acharnés à débiter leur papier imprimé mais jamais emmerdeurs, jamais pleurnichards.

A l'intérieur du « Neary's » tout au long d'un bar de marbre rose, debout ou perchés sur des tabourets, étaient alignés de bons buveurs tandis qu'à quelques tables étaient assises une demi-douzaine de filles jeunes et plutôt jolies, en compagnie de garçons de leur âge.

Aux murs, des affiches. Les plus en vues annonçaient le spectacle du Gaiety Theatre, et des représentations de « Arrah na Pogue » à l'Abbey Theatre. Aux signes de mains et de têtes qui l'accueillirent, je compris que mon compagnon était connu dans l'endroit. Nous nous sommes approchés du comptoir et un barman en veste blanche, nonchalant, s'est dirigé vers nous.

A cet instant, j'ai lu une sorte de panique dans les yeux clairs de Michael qui, à mi-voix, m'a supplié :

– François, pour l'amour du Ciel, pas de limonade, ici avec moi.

J'ai hésité un quart de seconde. D'une part, j'éprouvais sérieusement le besoin d'un remontant ; d'autre part, je me connaissais, et je savais qu'il n'y a que le premier verre qu'on se reproche... et encore. Pas raisonnable de me remettre à l'alcool, pas raisonnable du tout, avec mon foie délicat, mon cœur un rien essoufflé et mon estomac sensible. Mais devant le regard déjà lourd de reproche de Michael, je renonçai à résister.

– Ça va, fis-je, pour moi, ce sera comme pour toi.

En dépit de ses soucis, l'autre se rasséréna.

— Deux John Power, commanda-t-il avec un soupir de soulagement.

Deux verres à demi pleins d'alcool couleur d'ambre, accompagnés de deux autres verres d'eau, avaient atterri devant nous.

— De la glace ? s'enquit Michael.

— Non. Tant qu'à boire un whiskey, autant ne pas en gâcher le goût.

L'autre approuva de la tête, tout en alignant aussitôt les quarante pence de la tournée selon l'habitude du pays.

Nous trinquâmes.

— *Slainte !* fit Michael, gravement.

— *Slainte* (1).

— Tu vois bien, ajouta mon compagnon, on ne pourrait pas trinquer avec de l'eau sucrée, quelles que soient les circonstances. Ce serait tout à fait incorrect et choquant.

Et il but. J'en fis autant.

Je dois reconnaître que dès la première gorgée, je me sentis mieux dans ma peau. Et à la seconde, j'éprouvai la sensation de respirer plus librement.

— La même chose pour moi ainsi que pour mon ami, reprit Michael à l'adresse du barman. Puis-je savoir si vous avez revu Janos, ici ?

Tout en remplissant les verres, l'autre secoua la tête.

— Non. Pas depuis que je vous ai parlé.

— Comment était-il lorsqu'il est venu ?

1. Slainte : santé.

— Bien, sir, très bien.

— Plutôt mieux que d'habitude?

— Plutôt en un sens.

— Pas sur le point d'être ivre mort, quand même?

— Non, pas sur le point. Simplement bien, très bien.

— Et vous n'avez aucune idée de l'endroit où il a pu se rendre en sortant du « Neary's »?

— Dans un autre pub, je suppose.

— Lequel?

Le gros homme en veste blanche eut un geste d'ignorance.

— Chacun va où il veut, n'est-ce pas?

— Bien sûr, mais il parle beaucoup Janos dès qu'il a bu et à assez haute voix pour qu'on l'entende d'un bout du bar à l'autre. Il n'a rien raconté de spécial?

— M. Janos, après deux ou trois pintes de bière, raconte toujours des choses très spéciales. C'est pourquoi il est apprécié partout.

Je commençais à m'impatienter. Avec ces Irlandais et leurs façons de rêver tout éveillés, nous n'en finirions pas. J'allais suggérer à Michael de boire encore un verre puis d'aller nous pointer ailleurs, au hasard, lorsqu'un grand échalas chauve à l'air compassé s'est penché pour s'adresser à Michael.

— J'ai cru comprendre, Kavannagh, que vous seriez désireux de retrouver votre cuisinier.

— C'est exactement ça. Et vite.

— Ce monde sera perdu par les gens trop pressés, prophétisa l'ivrogne solennel, enfin puisque vous y tenez tant, sachez que Janos se trouvait, il n'y a pas une demi-heure de ça, Saint George street, au « Long hall ». Mais lui ne semblait pas pressé du tout.

— Partons, me fit Michael. Ce n'est pas loin.

Nous avons plongé une nouvelle fois dans les petites rues sombres qu'éclairaient seulement, ici et là, les feux de position de nouveaux pubs. Les inscriptions en lettres majuscules « Bar », « Lounge » (1) rougeoyaient dans la nuit. Il ne faisait pas froid mais extrêmement humide, et, tout autant que de rencontrer Janos, j'éprouvais le désir de me retrouver devant un nouveau whiskey. Michael, à mon côté, perché sur ses longues jambes, avançait d'un pas presque lent, sans prononcer une parole. A un moment, je me tournai vers lui pour l'inviter à hâter l'allure. Je vis alors qu'il ne semblait plus se rendre compte de ma présence près de lui. Il avait le regard perdu dans le vague et des larmes coulaient sur ses joues. Je renonçai à lui parler.

Quelques instants plus tard, je repérai la plaque « Saint George street » à l'angle de deux rues. Nous approchions.

Effectivement, trente mètres plus loin, mon compagnon me fit signe d'ouvrir une porte et de pénétrer dans un établissement dont une partie de la façade rouge et or comportait une vitrine encombrée d'un fouillis d'objets et d'ustensiles de cuivre, d'argent et d'étain.

— C'est peut-être le plus vieux et le plus curieux pub de Dublin, laissa tomber Michael, alors que je franchissais le seuil.

1. Lounge : salle d'un pub où l'on peut consommer à des tables, des sandwiches ou des assiettes de viande froide.

Il n'exagérait pas. A peine le nez pointé dans l'établissement, j'eus l'impression de me retrouver dans un musée. Mais un musée grouillant de monde, noyé dans la fumée des cigares, des pipes et des cigarettes blondes et fleurant très fort des senteurs de bière, de sueur, de parfum bon marché et d'alcool.

Sur les murs noirs et rouges s'alignaient des miroirs, de vieux tableaux, des assiettes peintes tandis que du plafond pendaient des lustres de cristal de style baroque. La caverne d'Ali Baba en quelque sorte.

Nous nous étions retrouvés dans un couloir où face au long comptoir, des femmes d'un certain âge occupaient des chaises et des banquettes.

— Passons à côté, me dit Michael.

Nous avons contourné le comptoir pour aboutir dans une salle bourrée comme un œuf d'hommes, le nez plongé dans des chopes. En face d'eux, trois garçons en chandail ou chemises aux manches retroussées maniaient sans arrêt les pompes à bière.

— Deux John Power, commandai-je tandis que Michael jetait un regard circulaire sur l'assistance.

Nous n'étions pas encore servi qu'il annonçait avec une grimace de dépit.

— Pas de Janos, ici.

Tout au bout du comptoir, deux verres de whiskey nous attendaient. Cette fois, ce fut moi qui réglai.

Michael avait interpellé un homme jovial qui semblait être le patron.

— Vous n'avez pas vu Janos, mon cuisinier ?

— Ah, le Hongrois ? Oui, nous l'avons vu et nous l'avons surtout entendu. Il chantait, il criait, il riait. Un sacré fou, ce soir.

— Il y a longtemps qu'il est parti ?

— Même pas cinq minutes.

— Pour aller où ?

— Au « Stag'tail », je suppose... à moins que ce ne soit au « Stag'head »... ou peut-être bien aux deux.

Nous saluons le bonhomme et sortons du « Long Hall ». Après l'atmosphère à couper au couteau de l'établissement, l'air de la rue nous gifle. Michael, tout comme moi, respire un grand coup puis allume une cigarette, m'en offre une que je refuse et finit par m'entraîner.

— Qu'il se trouve dans l'un ou l'autre de ces pubs, nous allons le récupérer. C'est à deux pas.

Le temps de marcher quelques minutes en silence et le mari de Nathalie annonce :

— Voici le « Stag'tail... » le « Stag'head » est de l'autre côté de la rue.

A peine entrés dans la salle étroite et enfumée où quelques buveurs s'efforcent de chanter en chœur une complainte geignarde, je devine à la mine de Michael que son cuisinier n'est pas dans le lot. Il questionne malgré tout le garçon préposé à la pompe.

— Vous connaissez Janos le Hongrois ?

— Oui.

— Il a bu ici ?

— Juste un verre, sir. Ensuite, il est parti en face.

— Merci.

Sans prendre le temps de commander quelque chose, nous ressortons et traversons la rue.

Dans le « Stag'head » trône une énorme tête de cerf. Un impressionnant dix-cors. Aux murs couverts de boiseries, sont accrochés de grands miroirs, et à chacun des bouts du grand comptoir est planté un flambeau d'argent garni de chandelles. Là, il n'y a que des hommes et peu de place où s'insérer. Immédiatement, je comprends que nous avons fait mouche. Me plantant près de l'entrée, Michael, jouant des coudes, traverse une première rangée de clients. Durant quelques instants, je ne distingue plus de lui que sa chevelure flamboyante mais il revient très vite, accompagné d'un type presque aussi grand que lui, qu'il me présente.

— Janos.

Je suis surpris. Je ne m'étais pas fait une idée très précise du personnage mais l'homme que j'ai en face de moi ne correspond, en tout cas, à rien de ce que j'imaginais.

Tout d'abord, je m'attendais à rencontrer un bon ivrogne, bien bourré et ne touchant plus terre, alors que le Janos en question, sans avoir le pied très sûr, l'œil très clair et le geste très précis, garde, malgré tout une certaine tenue. La tenue de quelqu'un qui sait boire. Il le prouve à la façon dont il avale son verre de whiskey dans la tournée que Michael vient de commander.

Second détail, le Hongrois a autant l'air d'un chef de cuisine que moi d'un archevêque anglican. En un certain sens, il ferait plutôt majordome de grande maison, appariteur ou — pourquoi pas? — officier ministériel. Assez grand, mince, très brun, pourvu d'une distinction naturelle, vêtu d'un complet gris bon marché qu'il arrive à porter avec une certaine élégance, c'est un homme qui doit plaire aux femmes. Aux réactions qu'avaient eues les deux serveuses du

« Capri » en parlant de lui, je m'en étais d'ailleurs un peu douté. Il n'a, en tout cas, pas la tête d'une crapule ni d'un faux jeton, mais pas davantage d'un enfant de chœur, ni d'un premier communiant.

Sous le nez légèrement busqué il porte une fine moustache noire sur toute la longueur de la lèvre supérieure. Le bas de son visage au teint bistre, manque un peu d'énergie dans le menton. Par contre, l'œil marron foncé, ourlé de cils presque trop longs pour un homme, est à la fois impérieux et velouté dans le regard que l'ivresse brouille un peu.

J'ai bien dit l'œil. Je parlais du droit. Car le gauche est réduit à la dimension d'une tête d'épingle, coincé entre des paupières boursouflées et meurtries, qui virent au bleu sombre.

C'est d'ailleurs à ce coquard que Michael fait allusion, dès ses premiers mots.

— Janos, vous avez eu des ennuis?

— Ce n'est rien.

Mon compagnon n'insiste pas sur ce point, visiblement pour ne pas désobliger l'autre, mais poursuit :

— Janos, je ne comprends pas. Pourquoi ne pas être venu au « Capri » cet après-midi?

Le Hongrois paraît méditer une réponse puis se borne à laisser tomber :

— Excusez-moi, Monsieur.

— N'en parlons plus.

— Si.

— Comment si?

— Je ne veux pas parler de ce soir, Sir. C'est aux autres soirs que je pense.

— Eh bien? Je ne vous ai jamais empêché de boire quelques verres, non?

— Exact, Sir. Mais moi, je ne compte plus reprendre mon travail au « Capri ». Je regrette beaucoup.

Michael semble éberlué.

— Mais que se passe-t-il? Que s'est-il passé? Vous ne vous entendez plus avec Kathleen et Dearbhla? Vous ne vous estimez pas assez payé? Il y a quelque chose qui ne va pas?

— Non.

— Alors?

Le regard de l'œil intact se dérobe tandis que presque sans desserrer les dents, l'homme laisse tomber.

— J'ai peur.

— Peur de qui? De quoi?

— Des histoires.

— Quelles histoires?

L'autre esquisse un geste vague pour se dispenser de répondre.

Michael pousse un soupir d'exaspération contenue.

— Janos, êtes-vous sûr de ne pas être plus ivre que vous le paraissez?

— Certain, Monsieur.

— Si je comprends bien, c'est votre dernier mot.

— Oui, Monsieur. Sorry.

— Trois autres whiskeys, commande Michael, qui semble avoir besoin de reprendre son souffle.

Nous attendons en silence d'être servis, puis nous buvons chacun notre verre, à petites gorgées, calmement. Je me sens du soleil dans le palais et l'estomac. Mais dans ma tête, il flotte de lourds nuages noirs. D'avoir retrouvé Janos, ne semble pas avoir fait évoluer d'un pas la situation, en ce qui concerne le sort de Nathalie.

C'est bien ce que doit se dire Michael, de son côté, car il ne tarde pas à revenir à la charge.

– Écoutez-moi, Janos, ce que j'ai à vous dire est très sérieux. Que vous me quittiez, j'en suis désolé mais, après tout, vous êtes libre de vos décisions, n'est-ce pas ? Seulement il y a autre chose que ces histoires de cuisine. Permettez-moi, tout d'abord, une question. Vous n'avez pas rencontré depuis cet après-midi quelqu'un, qui vous ait confié d'une façon ou d'une autre, un message pour moi ?

– Absolument pas.

– Eh bien, demain au plus tard sans doute, vous n'allez pas manquer d'en avoir un. Je ne sais qui vous le remettra ni comment on procédera pour vous le faire parvenir, mais dès que vous l'aurez, il sera de la plus grande importance que vous m'avertissiez dans les plus brefs délais. Je ne peux pas vous donner plus d'explication mais sachez qu'il y va de la vie de quelqu'un, Janos.

Le Hongrois tique.

– La vie de quelqu'un, ouais... je croyais pourtant avoir précisé que je craignais les histoires. Je ne suis qu'un étranger, après tout, ici, monsieur Kavannagh. Et si l'on m'expulse, où irai-je ? Pourquoi m'avoir choisi, moi, pour recevoir ce message ? Vous avez le téléphone, et la poste fonctionne, que je sache ?

– Ce n'est pas moi qui vous ai choisi.

– Qui alors ?

– Je n'en sais rien.

Janos esquisse un sourire qui s'achève en hoquet.

— Patron, excusez-moi, mais vous êtes sûr de ne pas avoir fréquenté le whiskey un peu tôt, aujourd'hui?

Sa réflexion semble plonger Michael dans une soudaine détresse. A deux mains, il s'accroche aux revers du veston de son ancien cuisinier.

— Janos, insiste-t-il, d'une voix rauque, Janos, je suis dans mon état normal et ce que je vous dis est très grave. Vous m'entendez, sacré pochard, très grave.

— Oui.

— Barman, trois whiskeys de plus. Vous, Janos, vous me préviendrez quoiqu'il arrive?

— Ma parole, Sir.

Nous vidons nos verres religieusement. Ayant reposé le sien, Janos nous salue.

— Janos, lui lance Michael, si jamais vous changez d'idée, vous savez qu'il y aura toujours une place au « Capri » pour vous.

— Merci, Monsieur. Mais je crains que ce ne soit sans doute jamais plus possible.

Sur ce, il tourne les talons et gagne la sortie. Et c'est à cet instant que se révèle la charge d'alcool qu'il doit porter. Malgré ses efforts pour se tenir droit et digne, il s'emmêle un peu les jambes, doit se retenir à une épaule et à une autre et éprouve un mal de chien à franchir la porte vitrée du pub.

Michael hoche la tête, lugubrement.

— Je me demande ce qui lui a pris à cet idiot de vouloir me quitter. Je m'entendais bien avec lui.

— Et si quelqu'un le lui avait suggéré? Suggéré avec des arguments... suffisamment convaincants.

— Perdre Janos, ça équivaut presque pour moi à m'obliger à fermer le restaurant.

— Précisément.

Michael plisse ses yeux et j'ai l'impression qu'il va sortir quelque chose lorsque brusquement, je le vois pâlir.

Il s'est tourné vers un curieux personnage qui vient d'entrer et d'arriver à notre hauteur. Un type énorme, tout en graisse, soufflé comme un eunuque, emmitouflé dans une touloupe afghane et serrant entre ses bras un minuscule terrier du Yorkshire au cou orné d'un ruban rose. Un visage blafard en forme de lune, le crâne couronné d'une mèche blonde et bouclée qui doit être un postiche, la bouche en cul de poule et l'œil bovin.

Déjà, Michael, jouant des coudes, s'est rapproché de lui qui, ébahi et soudain craintif, marque un recul, lequel le plaque contre une cloison où se trouvent accrochées d'antiques lampes à huile. Avançant la main, Michael saisit entre deux doigts l'extrémité d'un foulard de soie bariolé entourant le cou grassouillet du harpiste dont le chien se mit à glapir.

— Vous avez là un bien joli foulard, O'Hara, lance le mari de Nathalie.

— N'est-ce pas?

— Le seul ennui c'est que je puis vous dire le prix qu'il vaut et le magasin des Champs-Élysées où je l'ai acheté l'an dernier, à Paris. Et ne me parlez pas de ressemblance, c'est un modèle portant la griffe d'un grand couturier.

Tirant plus fort sur le tissu, Michael le porte jusqu'à ses narines et le renifle.

— Aucun doute, fait-il en relevant la tête, il porte encore le parfum de Nathalie.

VII

L'autre regimbe, mais mollement.

— Comment? Je vous dis que ce foulard est à moi, Kavannagh. Si c'est une plaisanterie, arrêtez et buvons plutôt un verre. C'est moi qui vous l'offre. Et donnez-moi donc des nouvelles de cette charmante Mme Kavannagh que je n'ai pas aperçue depuis bien longtemps.

— O'Hara, reprend Michael, je vous répète que ce foulard est celui que j'ai offert à ma femme à Paris pour son anniversaire. Et je l'ai vu encore le porter il n'y a pas une semaine de ça. Vous seriez d'ailleurs bien incapable de me dire où vous l'avez acheté.

— Qui parle d'avoir acheté? C'est un cadeau... un cadeau d'une admiratrice qui trouvait que les coloris m'allaient bien au teint.

— Le nom de cette prétendue admiratrice?

— Et ma discrétion qu'en faites-vous?

Cette fois, Michael est à bout. Saisissant brusquement par son anse une énorme chope de grès qui doit, à vue d'œil, tenir le litre et demi, de sa main libre il s'empare d'une de celles de l'obèse joufflu et la plaque de force sur le comptoir.

— Si d'ici trois secondes vous n'avez pas parlé, je vous écrase les phalanges, je fais de la bouillie de vos doigts...

Vert de peur, l'autre glapit.

— Vous n'allez pas faire ça à un artiste comme moi? Mes mains... mes chères et belles mains... que deviendrait sans elles ma pauvre vieille harpe?

— A vous de choisir.

Tout se déroule sans qu'autour de nous, on s'occupe particulièrement de notre petite discussion. Trop occupés, les uns et les autres à boire et à se raconter des histoires pour prêter attention à la nôtre.

— Kavannagh, supplie, le gros lard en roulant des yeux blancs, arrêtez, pour l'amour de Dieu, arrêtez.

— Pour la dernière fois, de qui tenez-vous ce foulard?

— D'une certaine Deirdre... une danseuse qui aime la musique.

— Deirdre Olohan?

— C'est bien elle. Maintenant lâchez-moi, je ne peux rien vous dire de plus. Si vous voulez en savoir davantage, renseignez-vous auprès d'elle.

Les doigts de Michael qui maintenaient le poignet de l'autre comme dans un étau, s'entrouvrent, libérant la main rougie et gonflée par l'afflux de sang. O'Hara se met à la frictionner, en poussant de petits gloussements tandis que son Yorkshire, déposé sur un tabouret donne de la voix.

— Nous aurons sans doute à nous revoir, O'Hara, lance Michael, et ce jour-là, si vous avez commis une saleté, vous pourrez faire très attention à vous.

Puis tirant brusquement sur l'extrémité du foulard de soie, mon compagnon l'arrache du cou du type, puis roule le carré de tissu en boule et l'empoche.

Nous nous retrouvons dehors.

— Qui est ce guignol? je demande à Michael.

— Un pas grand-chose qui traîne un peu partout et joue de temps en temps de la harpe dans des « ballad clubs », des endroits où des amateurs se retrouvent régulièrement pour interpréter de vieilles ballades irlandaises. Lui, O'Hara, se dit professionnel.

— Tu connais cette fille dont il a parlé?

— Deirdre Olohan? Oui, un peu. Elle fait de la danse classique mais comme elle n'a pas souvent l'occasion de travailler, alors elle peint. Oh, c'est une fille jolie et intelligente qui a beaucoup de goût.

— Comment expliques-tu qu'elle ait pu offrir à ce O'Hara, qui m'a tout l'air d'une affreuse pédale, un foulard appartenant à ta femme.

— C'est ce que nous allons lui demander. Deirdre sort presque chaque soir et je connais plus ou moins ses habitudes. Ce ne sera pas difficile de lui mettre la main dessus. A cette heure, nous avons toutes les chances de la trouver au « Bailey », Duke street, une rue perpendiculaire à la Grafton.

Moins de cinq minutes plus tard, nous entrions dans l'établissement. Et à la seconde, une splendide créature rousse, abandonnant un groupe d'amis, venait sauter au cou de Michael avec un cri de joie.

Incontestablement, une fille de premier choix. A peu de choses près de ma taille, bien construite d'épaules mais fine de ligne, avec des seins proéminents qu'on devinait piriformes sous le pull de cachemire écarlate, des hanches nettement dessinées, d'interminables jambes dont une jupe noire couvrait tout juste le haut des cuisses. Et un bassin, quel bassin!

Entre deux rideaux, couleur de cuivre, de cheveux lisses tombant jusqu'aux seins, brillaient des yeux d'un vert cru, immenses, fascinants, des prunelles de magnétiseuse. C'est seulement après avoir subi leur regard qu'on découvrait le nez plutôt grand mais très droit, la bouche dévorante et le menton volontaire surplombant un grand cou, emprisonné sur toute sa hauteur par un collier d'or uni.

Lorsque j'entendis Michael prononcer le nom de Deirdre Olohan, je respirai un peu plus vite.

— Vous avez quelques instants? s'enquit le mari de Nathalie.

— Toute la nuit si vous voulez. Votre ami est français?

— Oui.

— J'adore les Français, fit la beauté rousse, en plantant ses yeux dans les miens. Ils ne comprennent pas grand-chose à la vie mais je les adore. Je n'y peux rien, c'est comme ça.

— Allons nous asseoir, dit Michael.

Nous nous sommes retrouvés tous les trois à une petite table, éclairée par une lampe à abat-jour en dentelle blanche. Sans attendre notre commande, un barman était venu déposer trois doubles whiskeys devant nous.

Avec Deirdre, Michael n'y alla pas par trente six chemins. Sitôt après avoir trinqué et bu la première gorgée de courtoisie, il sortit d'une des poches de son trench-coat, jeté sur le dossier d'un fauteuil libre, le foulard aux vives couleurs arraché au cou de O'Hara et le mit sous les yeux de notre invitée.

— Vous connaissez ceci?

Les yeux de la jeune rousse s'agrandirent encore.

— Ce foulard?

— Oui, ce foulard.

Elle prit le carré de soie des mains de Michael et sembla prendre plaisir à le manipuler entre ses longs doigts aux ongles d'un rose très clair. Mais, tout en caressant le tissu, elle secouait la tête.

— Non, et je regrette bien qu'il ne soit pas à moi... un foulard de chez Dior, c'est toujours apprécié. Si je comprends bien, vous l'avez trouvé quelque part et vous avez pensé qu'il ne pouvait être qu'à moi? C'est flatteur pour mon goût.

— Mais non, mais non, j'intervins. Vous comprendrez dans un instant. Connaissez-vous un harpiste du nom de O'Hara?

— Tchin-Tchin.

— Tchin-Tchin?

— C'est son surnom. Bien sûr, je connais Tchin-Tchin O'Hara. Et Alors?

— Nous l'avons rencontré dans un pub, il portait ce foulard à son cou et il a prétendu que c'était vous qui lui en aviez fait cadeau, voilà.

La fille s'esclaffa, nous exhibant deux rangées de dents un peu grandes mais éblouissantes de blancheur.

— Moi, faire un cadeau à Tchin-Tchin? Vous n'y pensez pas? S'il vous a dit ça c'est qu'il devait déjà être très imbibé.

— Pas tellement.

— Mais enfin, vous, Michael, vous avez pu croire ça ?

— C'est ce qu'il nous a dit.

— Bon, eh bien, c'est faux, trancha la rousse, et maintenant si nous parlions d'autre chose? A propos comment va Nathalie, il y a un certain temps que nous ne nous sommes vues.

— Bien, fit Michael, très bien.

— Je suppose qu'elle doit être très occupée.

— Pourquoi très occupée?

— Oh, on m'a dit qu'on la voyait beaucoup circuler en ville... pour des courses sans doute?

Mon compagnon grommela une phrase indistincte. Je le savais plutôt jaloux et l'autre garce avait intentionnellement mis un accent équivoque dans ce qu'elle avait dit. Ça crevait les yeux.

Mais au même instant, un barman s'était approché de notre table et se penchant vers Michael, lui glissait quelques mots à l'oreille. Je vis le mari de Natou froncer les sourcils puis se dresser.

— Excusez-moi quelques instants, fit-il.

Il tourna les talons et s'éloigna parmi les buveurs. Je le vis parvenir tout au fond de la salle, devant une table où était assis un gros homme, coiffé d'un feutre gris à bords roulés en train de consulter de petits carnets qu'il feuilletait avec application, en mouillant son pouce.

Je ne distinguai rien des traits du type qui échappent à la lumière. Je repèrais simplement le geste qu'il faisait, toujours avec le pouce, pour inviter Michael à s'asseoir. Le mari de Nathalie, lui, avait le visage en pleine clarté. Ses mâchoires étaient crispées et je n'aurais jamais cru possible de lire tant de haine dans ses yeux clairs.

Mais mon attention fut soudain détournée par ma voisine qui réclamait un nouveau verre.

C'était peut-être l'effet du whiskey mais j'eus l'impression d'avoir droit, à ce moment, à un radieux sourire de la part de Deirdre. Plus que radieux, aguicheur. Restait aussi à savoir si ce n'était pas l'attitude naturelle qu'elle prenait avec tous les mâles entre dix-sept et soixante-dix-sept ans.

— Vous dansez, m'a dit Michael, lançai-je pour amorcer la conversation.

— Oui. Je peins aussi.

— Intéressant.

— Pour ceux qui aiment ça. C'est une peinture très spéciale. Il y en a qui trouvent ça affreux. Ça vous intéresserait de juger par vous-même?

— Certainement.

— Venez boire un verre chez moi, ce sera une occasion pour vous de voir mes toiles. J'habite un appartement transformé en atelier, tout près de O'Connel street.

Son regard se fit étrangement insistant tandis que son sourire devenait carrément provoquant.

— J'espère que vous ne m'en voudrez pas, poursuivit-elle.

— Vous en vouloir de quoi?

— Si mes œuvres ne vous plaisent pas.

J'éclatai de rire. Elle se pencha vers moi et me murmura à l'oreille son adresse exacte. Ses copains que j'avais, à cet instant dans mon champ de vue, semblaient hors d'eux et me fusillaient du regard.

– Alors quand ? demandai-je.

– Quand vous voudrez. Sauf cette nuit, bien entendu.

– Demain après-midi ?

– Si vous voulez. Quinze heures.

J'acquiescai.

– N'en dites rien à Michael, ajouta Deirdre. C'est inutile. Il en parlerait à Nathalie et je ne tiens pas à ce que tout Dublin soit au courant.

– Vous connaissez bien Nathalie ?

– Comme ça.

– Vous vous voyez souvent ?

– Avant oui.

– Avant quoi ?

– Avant qu'elle devienne plus ou moins neurasthénique.

– Neurasthénique ?

Je m'attendais à tout sauf à ça. Parce que entre une neurasthénique et Nathalie, il y a un fossé. Plus qu'un fossé, un abîme. Mais Deirdre poursuivait.

– Enfin, ça ou autre chose. Terriblement triste et préoccupée, en tout cas. Ce n'est pas quelqu'un fait pour vivre ici. Ni surtout pour vivre avec Michael qui est un fou intégral.

– Écoutez Deirdre, vous passez votre temps, vous Irlandais à vous taxer mutuellement de folie douce.

– Douce ? Pas toujours douce, dans certains cas.

Elle allait ajouter quelque chose mais le retour soudain de Michael la fit s'interrompre. Celui-ci ne se rassit pas. Il se borna à finir son verre, debout. J'ignorais ce qu'avait pu lui raconter l'autre, mais, il faisait en tout cas une pâle gueule.

— François, me jeta-t-il, nous allons partir. Excusez-nous, Deirdre.

— Non, fit la rousse, avec une grimace.

Mais lorsque nous nous serrâmes la main, ses doigts eurent une pression significative.

Une fois de plus, avec Michael nous nous sommes retrouvés dans la rue. Il recommençait à pleuvoir mais très légèrement.

— Que penses-tu de Deirdre? m'a lancé mon compagnon.

— Des tas de choses... mais surtout qu'elle n'a certainement pas dit toute la vérité au sujet du foulard.

— Pourquoi?

— Une intuition.

— Vous, Français, vous vous fiez beaucoup trop à votre intuition. Nous, c'est à notre imagination que nous faisons confiance.

— Après combien de verres de whiskey ou de pintes de bière?

Il haussa les épaules sans répondre.

Mais quelques instants plus tard, il me proposait :

— La seule chose que nous ayons maintenant à faire c'est de retourner à la maison. Au moins, nous pourrons manger un morceau. Tu dois crever de faim.

— Ce n'est pas tellement ça mais quelque chose de solide ne nous ferait pas de mal. On commence à avoir sérieusement chargé la mule.

Michael me saisit le bras, le serra fortement et prononça d'une voix étranglée :

— Parrain, si tu me vois boire ce n'est pas que j'essaie de me changer les idées. Seulement lorsque je pense à Nathalie, à ce qu'elle risque, avec le peu de lucidité qui me reste, je me sens devenir fou et j'ai envie de tuer tout le monde.

Peu après nous arrivions devant le « Capri » dont l'enseigne ne rougeoyait plus.

Michael sortit une clef de sa poche pour ouvrir la porte abritée par un porche. Au bout de quelques secondes de tâtonnement — il n'avait pas la main très sûre — il finit par se rendre compte que le battant n'était pas bouclé.

— J'ai dû oublier de fermer... bien compréhensible, dans l'état où j'étais.

Il suffisait de tourner la poignée pour pénétrer dans le couloir.

Nous sommes entrés et immédiatement, Michael a déclenché la minuterie. Joli spectacle. Dans l'étroit passage brusquement éclairé, Janos se trouvait étendu sur le ventre, les bras en croix.

— Seigneur!

Ce fut le cri de Michael.

Moi, je m'étais précipité vers le Hongrois que je retournai sur le dos. C'était encore une chance, il respirait. Il respirait même très normalement, d'un souffle égal et profond.

— Rassure-toi, lançai-je à Michael, il est en vie.

J'examinai le bonhomme sous toutes les coutures. Rien ne semblait indiquer qu'il eut été blessé ni même frappé. Peut-être était-il simplement ivre mort. Michael, agenouillé à côté de moi, se mit à secouer son cuisinier dont la tête ballottait d'un côté et de l'autre.

— Janos... Janos... Il ne faut pas rester ainsi... pour l'amour du Ciel, répondez-moi...

L'autre finit par entrebâiller une paupière, celle qui n'était pas meurtrie, tandis que l'autre restait obstinément close, enflée et violacée sur l'œil de la taille d'un œuf de pigeon.

— Ah, râla-t-il, que se passe-t-il, monsieur Kavannagh?

— Ce serait plutôt à nous de vous le demander. On vous a frappé?

— Non.

— Alors?

Janos fit un effort pour se redresser sur un coude, se passa une main sur le front et bredouilla :

— Je ne sais plus. J'étais dans un pub qui allait fermer. J'ai bu un verre, le dernier... je suis venu jusqu'ici, ça je m'en souviens. Je voulais vous parler, monsieur Kavannagh... comme j'avais encore sur moi la clef de la porte, je suis entré, je comptais vous attendre dans la salle... puis, je me suis écroulé ; dans ce sacré pub, on a dû me refiler un mickey (1), c'est sûr. Je voulais boire encore un verre, juste un seul... et, eux, les salauds, tenaient à boucler.

Il referma son œil et fit quelques bulles avec sa bouche.

— Emmenons-le dans la salle, dit Michael.

Je passai mes bras sous les aisselles du type tandis mon compagnon saisissait ses jambes à la hauteur des genoux. Sans trop de mal, nous le transportâmes tout au long du couloir puis, rentrant dans le restaurant, nous l'avons allongé sur une banquette au-dessous d'une vue du Vésuve.

1. Un mickey : une boisson droguée.

— Il sera toujours mieux là, fit Michael.

L'autre avait repris conscience. Lorsqu'il se vit étendu, il eut un sursaut.

— Ma place n'est pas ici, monsieur Kavannagh... mes fourneaux... les clients... quelle heure est-il?

— Il est encore plus saoul que je ne croyais, observa le patron du « Capri », restez tranquille, Janos, reposez-vous. Il n'y a pas de clients, les fourneaux sont éteints et, de toute façon, vous m'avez quitté.

Prenant appui d'une main sur une table, de l'autre contre la cloison, le Hongrois finit par se remettre debout. Il tangua quelques instants sur ses jambes puis se rapprocha de Michael et, d'une voix mal assurée, affirma :

— Précisément non, Sir... J'étais venu vous dire que j'avais changé d'idée. J'ai réfléchi que je ne pouvais pas vous faire ça à vous, monsieur Kavannagh... pas à vous, non... tant pis pour ce qui se passera... tant pis s'il y en a qui ne sont pas contents...

— Qui?

L'autre mit un doigt sur ses lèvres. Puis il entreprit de palper ses poches et de les fouiller, tout en marmonnant :

— Pourvu que ces salauds d'enfants de truie ne m'aient pas volé mon portefeuille et mes papiers.

Il dut constater la présence des uns et de l'autre car il poussa un soupir d'aise. Il n'en continua pas moins l'exploration de ses poches et soudain, sortit de son veston une enveloppe froissée.

— Qu'est-ce que c'est que ça? On m'a écrit? Ah mais non, pas à moi... lisez vous-même, monsieur Kavannagh ... ça vous est adressé... M. Michael Kavannagh, c'est écrit... quel est le damné fou d'ivrogne qui a pu me confondre avec un facteur?

Michael s'était emparé de la lettre, déchirant le bord de l'enveloppe et tirant une feuille de papier portant quelques lignes tapées à la machine. En même temps que lui, je lus par-dessus son épaule.

« Kavannagh, trouvez-vous seul jeudi à minuit devant l'entrée du Zoo, avec le paquet et votre femme sera de retour chez vous dans les deux heures qui suivront. Un vieil ami dévoué. »

— Les porcs, grinça Michael, ils sont gonflés.

— Pourquoi?

— Pourquoi? Le zoo de Dublin se trouve au centre de Phœnix park, au nord-ouest de la ville.

— Et alors?

— Alors? L'endroit qu'ils m'indiquent comme lieu de rendez-vous est à deux pas de l'immeuble de la Garda Siochâna, en quelque sorte la préfecture de police.

— Ça semble prouver qu'ils sont assez sûrs d'eux.

— Pour le moins, admit Michaël.

— Mauvaises nouvelles, Sir? hoqueta le Hongrois.

VIII

Ce matin, c'est un bonheur : c'est le soleil qui me réveille. Je bâille, m'étire, clignote des yeux sous le flot de lumière et bois à même le goulot une grande lampée à la bouteille d'eau minérale que Michael a eu la délicatesse de laisser sur la table de chevet.

Ce qu'il y a de bien avec l'alcool d'orge c'est qu'il ne laisse pas de trace de gueule de bois le lendemain.

La nuit passée, après la découverte de la lettre glissée dans une des poches de Janos, Michael s'était effondré. Accablé, sans ressort, avachi entre les bras d'un fauteuil et fixant obstinément en silence la pointe de ses chaussures crottées de boue, ne relevant la tête que pour avaler une gorgée de whiskey.

Nous avions finalement dîné tous les trois dans la cuisine. Salami, mortadelle, jambon fumé, alici picanti, olives noires et une boîte de poires au sirop pour dessert. Le tout accompagné de chianti.

Nous avions très peu parlé. Juste les phrases nécessaires pour mettre au courant de la situation — dans la mesure où il pouvait aligner deux idées bout à bout — Janos que nous avions jugé préférable de mettre au parfum. Puisque les autres, Dieu sait pourquoi, l'avaient choisi comme messager autant valait qu'il sache à quoi s'en tenir, au cas où, le lendemain, on le prendrait à nouveau pour boîte à lettres.

Il n'avait pour ainsi dire pas réagi en apprenant la disparition de sa patronne mais, sans doute, dans son état, percevait-il ce qu'on lui racontait à travers un sacré brouillard. Le cerveau en pleine pêche sous-marine, dans les grandes profondeurs.

Nous n'avions pas tardé à regagner les chambres.

Les aiguilles de mon chrono marquent midi moins dix lorsque je reprends conscience. La minute de réadaptation passée, je retrouve en foule tous nos problèmes. Nous sommes mercredi et c'est jeudi à minuit que Michael devra remettre la rançon. Cinquante mille livres... ces gens-là sont de purs cinglés. Je pense intensément à ma filleule et je ressens une nausée de dégoût, en imaginant ce qui l'attend, si nous ne trouvons pas un moyen de la tirer du guêpier.

Pourquoi ne pas l'avouer? Tandis que je me creuse la tête pour trouver une solution, mon esprit bifurque vers Deirdre dont j'ai encore l'image en gros plan dans la tête.

Pour me donner bonne conscience, je m'efforce de me persuader qu'auprès d'elle, en sachant m'y prendre, j'apprendrai peut-être quelque chose de nouveau concernant le foulard de chez Dior.

Je suis dans la baignoire lorsque Michael fait son apparition.

Il doit sortir de sa propre salle de bains car il flotte autour de lui un parfum d'eau de toilette à la verveine. Il porte un col roulé de laine blanche à grosses côtes et un pantalon de velours frappé orange. Il est rasé de près mais ses traits sont tirés, son teint plombé et des cernes presque noirs soulignent ses yeux striés de veinules rouges.

Je n'estime pas utile de lui demander s'il a bien dormi.

Je lance seulement :

— Rien de nouveau?

— Rien. Janos a repris sa place aux fourneaux. Je lui ai prêté des lunettes noires pour qu'il ne risque pas d'effrayer la clientèle. Les petites sont là. Tout est en ordre.

Il répète avec un accent de dérision rageuse.

— Tout est en ordre. Tout le monde est là, oui. Sauf ma femme. Alors moi, je n'ai plus qu'à crever.

— Pas si vite. On va pouvoir discuter à tête reposée. Laisse-moi finir de prendre mon bain, le temps de m'habiller et je te rejoins.

— Je t'attends au premier. Je te fais préparer un breakfast par Janos. Kathleen le montera. Dépêche-toi.

Je ne suis pas quelqu'un qui traîne en faisant sa toilette. Moins de vingt minutes plus tard, rasé, coiffé, lotionné, l'haleine fleurant le Gibbs, je débouche dans le living du premier, en polo noir et pantalon de toile bleue.

Michael est assis dans un fauteuil, un journal sur les genoux, une cigarette aux lèvres et un verre et une bouteille de whiskey à portée de main. Sur la grande table, m'attend un plateau chargé de toasts beurrés, de tranches de saumon fumé, de harengs, d'œufs frits au bacon et d'un énorme pot de café qui embaume toute la pièce balayée par des rayons de soleil que gomment par instants de longs nuages très blancs chassés par le vent qui semble souffler fort.

Je m'installe devant mon breakfast et commence à attaquer, sans ouvrir la bouche autrement que pour manger.

C'est Michael qui, au bout d'un moment, interrompt ma mastication silencieuse.

— François?

— Oui?

— Il m'est venu une idée.

— Dis-la.

— Un instant.

Je n'ai aucune idée de ce que peut être son idée mais à voir sa mine mi-figue, mi-raisin, je soupçonne tout de suite qu'il doit s'agir de quelque chose d'assez glanduleux. Mes excuses, mais mon Michael a présentement la tête d'un chat qui a chié sur la braise.

Il doit deviner mon impression et ça le rend encore plus mal à l'aise.

— Un instant, répète-t-il, tout en quittant son fauteuil.

Il sort de la pièce mais, je n'ai pas eu le temps d'avaler trois bouchées qu'il est de retour, tenant en main un magazine qu'il ouvre et pose devant moi, entre le sucrier et un pot de marmelade.

— Voilà, fait-il.

Je jette un coup d'œil sur la page de papier glacé, occupée en grande partie par la photo d'une femme plus très jeune, disons même carrément vioque mais pleine de distinction avec un chapeau en forme de pièce montée, couvert de plumes, de perles et de roses.

Je lis les quelques lignes en italique qui soulignent la

photo et parcours en diagonale l'article qui l'accompagne. De toute évidence, il s'agit d'une chronique mondaine et la douairière a dû arborer son couvre-chef pour présider une vente de charité fort huppée.

Dans tout ça, du diable si je vois le moindre rapport avec Nathalie.

J'en suis à me demander si l'angoisse n'a pas fait perdre un peu la boule à Kavannagh. Je regarde celui-ci dans le blanc des yeux et laisse tomber :

— Voilà quoi?

— Le moyen de sauver Nathalie.

— Ah? Cette chère dame est de ta famille? Tu comptes pouvoir la taper?

— Ni l'un, ni l'autre. Tu as bien regardé cette photo?

— Je crois. Maintenant, je dois t'avouer, Michael, que, par goût, je préfère les gamines un rien plus jeunes.

— Il ne s'agit pas de ça. Cette personne n'est autre que Mme Mulcahy... Cynthia Mulcahy. Une new-yorkaise veuve d'un Américain d'origine irlandaise qui avait fait fortune dans les roulements à billes. Une fortune considérable et je pèse mes mots. Cynthia Mulcahy qui a quatre-vingts ans passés, vit une partie de l'année dans une sorte de manoir à Glendalough, dans le Wicklow, une région toute proche de Dublin. Elle s'y trouve actuellement.

— Et alors? Tu espères l'apitoyer sur le sort de Nathalie? Ne te fais pas trop d'illusions, ces vieillardes sont coriaces en général et, comme on dit, elles ont leurs œuvres.

— Encore une fois, il ne s'agit pas de ça. Et je te répète, as-tu bien regardé cette photo?

Ce disant, il pointe un index sur la poitrine décharnée de l'ancêtre, pareille à un bréchet de vieille poule, dont un somptueux collier parvient mal à dissimuler les flétrissures de la peau.

Là, je commence à saisir.

– C'est au collier que tu t'intéresses, fils ?

– Exactement.

Je deviens inquiet.

– Dis-moi, mais ta fameuse idée, ce n'est tout de même pas de tenter de lui secouer sa bricole à la chère dame ?

– Et quand cela serait ?

– Je dirais que tu es tout simplement tombé sur la tête. Tu tiens à finir tes jours en taule ?

– Puisqu'il y va de la vie de Nathalie, je peux en prendre le risque.

Mon petit déjeuner ne passe plus. J'essaie de raisonner l'animal.

– Mais enfin qu'espères-tu faire ? L'agresser en pleine rue , aller chez elle lui tordre le cou ?

– Plus simplement la cambrioler.

– La cambrioler, la cambrioler... et tu t'imagines qu'on cambriole les gens comme ça ?

Il a un petit rire désagréable.

– C'est toi qui me dis ça... parrain ?

Là, je riposte sec pour bien mettre les choses au point.

– Attention, ne te méprends pas. Je me suis peut-être laissé aller à quelques légèretés dans le temps mais c'est du passé... comme si ça n'avait jamais existé. Alors n'attends pas de moi que je te donne ma bénédiction pour monter à l'assaut du collier de la marquise.

— Il ne s'agit pas de me donner ta bénédiction, laisse tomber Michael, sur un ton très froid, il s'agit de m'aider.

Je manque m'étrangler.

— Ah, parce que, par-dessus le marché, il faudrait aussi que je t'aide?

— C'est indispensable à la bonne réussite de l'opération et tu vas vite comprendre pourquoi. Laisse-moi d'abord tout t'expliquer sans m'interrompre. Avant tout, dis-toi bien que je ne parle pas à la légère. Cette idée, c'est cette nuit qu'elle m'est venue. Durant des heures et des heures, je l'ai tournée et retournée dans ma tête. Alors, fais-moi le plaisir de me prendre cinq minutes au sérieux.

— Dix, si tu veux.

— D'une part, ce que tu appelles la bricole, sais-tu au moins ce qu'elle représente? Un ensemble de treize diamants jaune jonquille du Brésil, sertis platine. Voyons le détail : une grosse pièce de cinquante carats, deux de trente-cinq, deux de vingt, deux de quatorze, deux de dix, deux de neuf et deux de quatre. Tu veux que je fasse le compte? Pour chiffrer ça dans vos anciens francs, ça peut dépasser les six cents millions, prix boutique.

Je dois avouer que ça me coupe un peu le souffle.

— Qui t'a si bien renseigné? dis-je.

— Tout simplement les journaux. Tu sais bien comment ça se passe. Ces vieilles peaux qui n'ont plus que leurs bijoux pour beauté, n'ont de cesse de les exhiber à longueur de galas ou de dîner, d'en parler à tort et à travers, de les faire admirer par les uns et par les autres tout comme s'il s'agissait d'une partie de leur propre corps.

Je veux bien en convenir.

— Bon. Mais un collier de cette valeur, je suppose que sa propriétaire ne le range pas dans un tiroir de commode ou dans sa table de nuit.

— Exact. Sauf lorsque Cynthia Mulcahy la porte sur elle, la pièce ne sort pas d'un coffre blindé, dans son manoir de Glendalough. Et c'est ici que tu interviens, parrain.

— Vraiment?

— Si je pouvais m'emparer de ce collier tout seul, je le ferais, même en prenant de gros risques. Dans les conditions que je viens de t'exposer, c'est strictement impossible, inconcevable. On ne s'improvise pas casseur de coffres.

— Je ne te le fais pas dire.

— En effet. Mais ce qui n'est pas réalisable pour moi, l'est pour toi. Ne proteste pas, ne joue pas les modestes, je sais à quoi m'en tenir à ce sujet. Nathalie est parvenue à retrouver de vieux journaux où il est question de son père et de toi. Elle a découpé certains articles parus dans le journal *Détective* notamment. Tu connais?

J'émets un grognement.

— Ils ne racontent que des conneries dans les journaux.

— Pas toujours. N'oublie pas que vous avez eu votre heure de célébrité, Xavier Guiderdoni et toi.

— Il y a vingt ans de ça, stupide idiot.

— Et alors? Tu te considères comme amoindri?

Diminué? Plus bon qu'à rester les pieds dans tes pantoufles?

— Fais attention à ce que tu dis, Michael. Je suis peut-être le parrain de ta femme mais il ne faudrait tout de même pas envoyer trop loin le bouchon.

— Excuse-moi. Je ne voulais pas te blesser.

— Ça va. Ce que je voudrais te faire comprendre, c'est qu'il ne s'agit pas de ressort physique, de savoir-faire ou de technique. La faille, c'est dans la tête qu'elle se situe. Tu ne supposes pas que j'ai passé ma capacité en droit, appris à me tenir dans le monde, à baiser la main des dames, à peler une pêche et à jouer au bridge, pour à cinquante ans me remettre à jouer au con? Tu connais suffisamment bien le français pour savoir ce que c'est qu'un cave. Eh bien, moi, je suis devenu un cave et je suis fier de l'être et bien décidé à le rester jusqu'à la fin de mes jours.

— Même si Nathalie doit y passer?

Je me tortille sur ma chaise, assez mal à mon aise.

— Écoute, Michael, tu parles, tu parles, tu laisses aller ton imagination, sous prétexte que la rivière de diamants de cette vieille broque t'a ébloui. Tu la crois déjà dans ta poche. Que ce soit pour le bon motif, d'accord mais il faut garder les pieds sur terre, merde! Toi, dans ta tête, tu nous vois nous ramener dans le manoir en question, y entrer sans doute en passant à travers les murs comme des fantômes et retrouver le coffre comme ça, au pif ou en lisant dans le marc de café. Voyons, voyons, Michael... je ne demanderais pas mieux que de t'aider mais...

— Mais tes arguments ne tiennent pas debout. J'ai le plan du manoir comportant l'emplacement exact du coffre et je sais comment on peut pénétrer dans la maison sans le moindre risque.

— Tu l'as rêvé, la nuit dernière ?

— Non, François. J'ai tout simplement la chance d'avoir un cuisinier qui, avant d'être embauché au « Capri » a servi deux ans chez Mme Mulcahy.

Je sursaute.

— Tu veux dire que tu as mis ton sac à whiskey de Hongrois au courant de tes projets ?

— Il le fallait bien si je voulais les rendre réalisables. Je lui en ai parlé ce matin.

— Et il a accepté de marcher ?

— Oui. Bien entendu, il aura sa part. Il n'est pas mécontent de se faire un peu d'argent et particulièrement sur le dos de Mme Mulcahy qui ne s'est, paraît-il, pas toujours conduite très bien avec lui.

— Mais malheureux, dès qu'il aura un verre dans le nez, ton bonhomme va devenir de la dynamite.

— Non. Janos boit mais reste la discrétion même, j'ai pu le constater.

Je me prends la tête à deux mains et demeure un instant silencieux. Puis, je finis par lancer.

— De toute façon, ton projet est impossible, Michael.

— Veux-tu me dire pourquoi ?

— Parce que, même si j'acceptais de t'aider, je ne dispose pas de l'outillage indispensable à ce genre de travail et ne saurais même pas où me le procurer actuellement.

— Moi si.

— Comment toi si ?

— Par Janos. Il a des amis à Londres, Hongrois

comme lui, qui pourraient lui fournir le nécessaire, dans les plus brefs délais. Il pourrait avoir ramené ça, dès demain matin.

— Un joli coco, ton Janos.

— Six cents millions de diamants, réplique simplement le mari de Nathalie. Songes-y. Et songe aussi que c'est par pure discrétion que je n'ai jusqu'ici pas évoqué le montant de ma reconnaissance et de celle de Nathalie.

— Mais pauvre cinglé que tu es! Tu t'imagines que six cents briques de cailloux ça se liquide comme un vieux tapis? Tu comptes peut-être encore sur ton cuisinier pour les transformer en livres?

— Non. Mais, avec un tel atout en poche, je pourrais essayer de discuter avec les ravisseurs de Nathalie et obtenir d'eux des délais.

— Ouais.

Il a réponse à tout et moi, je sens que ma tête éclate. J'éloigne le plateau contenant les restes du breakfast, repousse ma chaise, et me lève.

— Alors, fait Michael, c'est oui?

Et comme je ne réponds pas, il insiste.

— Tu comptes attendre pour te décider que nous ayons reçu par la poste une oreille ou un doigt de Nathalie?

IX

Michael n'aurait jamais dû me proposer une chose pareille.

C'est me donner l'impression que je suis seul responsable du sort de Nathalie. C'est aussi m'offrir une sacrée tentation, après vingt ans ou presque de vie tranquille. Sans oublier qu'un paquet de fraîche ne déparerait pas mon compte en banque.

Mais à côté de ça, que d'os en perspective. Me remettre au travail, sans même un peu d'entraînement, après tant d'années d'inactivité. Monter au turbin sur les seules indications d'un saoulographe patenté. N'avoir pour associés que sézigue et Michael qui est un bon petit mais, en définitive, pas vicieux pour un penny . De la dinguerie pure.

Et la seule pensée de me retrouver au bing me donne des sueurs froides dans le dos.

C'est ce que j'étais en train de me répéter sans cesse depuis que j'avais quitté Michael.

Quitté comme ça, sans un mot, sans lui donner de réponse, sans même lui dire où j'allais pour la bonne raison que je l'ignorais moi-même.

Empruntant la Westmoreland street, je descendis

jusqu'au bord de la Liffey River , en m'arrêtant au hasard dans trois pubs pour boire dans le premier une pinte de bière brune, crémeuse à souhait, dans les deux autres, des whiskys. Parvenu à la hauteur de O'Connel Bridge, j'obliquai à droite et me retrouvai dans les docks.

Décor triste de façades lépreuses, de hangars, de dépôts de charbon, de boutiques sordides et de pubs minables . Sur le quai lui-même, de hautes grues mobiles sur rails, des entassements de caisses, de fûts, de bidons et de sacs à ciment. Et à l'amarre, deux cargos, autour desquels volaient des goélands.

Il faisait encore soleil mais un nuage couleur de suie passa, laissant pisser une averse. Comme j'étais sorti tête nue, j'entrai dans un magasin de vêtements pour la mer et achetai une casquette de marin en drap bleu, à visière de cuir. Avec mon poil de chameau, elle détonait un peu mais c'était sans importance. J'ai la tête très sensible à la fraîcheur et mes rhumes de cerveau sont des catastrophes. Ce n'était pas le moment d'en réclamer un.

Comme l'averse insistait et qu'en quelques secondes le ciel s'était obscurci, je pénétrai pour m'abriter dans un pub encastré entre un entrepôt « Coal and Coke » et un marchand de cordages, d'agrès et d'articles de pêche. L'endroit plutôt crasseux et sombre. Deux antiques lampes à gaz à manchon dispensaient une chiche clarté qui semblait suffire à quatre types attablés pour jouer aux cartes et à deux autres debout pour se mesurer aux fléchettes face à une cible de liège peinturlurée, accrochée tout au fond de la salle.

A un bout du comptoir, un amoncellement de boîtes

de conserves tandis qu'à l'autre était posé un tonnelet transformé en tirelire pour une collecte au profit d'une association religieuse, indiquait un écriteau jauni.

Je m'accoudai au bar à côté d'un docker en salopette noire, ayant devant lui un verre de whiskey et une chope de brune et buvant tour à tour, une gorgée de l'un, une gorgée de l'autre.

Je commandai un whiskey. Mais comme j'étais brusquement pris d'une quinte de toux, le patron — un gnome en tricot rayé — me conseilla :

— Buvez-le donc avec de l'eau chaude et des clous de girofle. Excellent pour la gorge.

— Allez-y.

Il était en train de me servir sa mixture lorsque soudain je vis entrer le gros homme à faciès de dogue, en imper verdâtre et feutre avachi dont j'avais fait la connaissance la veille. Il me couva de l'œil en passant près de moi avant de se diriger vers les joueurs de flèchettes qui, d'ailleurs, venaient d'achever leur partie et regagnaient le comptoir.

Tout en me brûlant le gosier avec la première lampée du grog au whiskey, je me tournai vers le nouvel arrivant qui, après avoir commandé une pinte, s'était emparé de flèchettes dont il commençait à cribler le disque de liège .

Habile, le gros, il fallait le reconnaître. Le geste vif et l'œil sûr. En quelques secondes, coup sur coup, il avait planté dix flèchettes dans le mille. Mais ce n'était pas son adresse qui m'intéressait. Dès qu'il m'avait toisé des pieds à la tête, à son entrée, je m'en étais douté, je trainais ce type derrière moi depuis mon départ du « Capri. »

Mais brusquement, avec une extrême souplesse, le bloc de graisse venait de faire volte-face, tournant le dos à la cible et, à cinq reprises précipitées, balançait ses fléchettes dans ma direction.

Je n'eus même pas le temps de me baisser. En moins de trois secondes, j'avais le visage encadré. Un des projectiles m'avait frôlé l'oreille gauche, deux autres la tempe droite, un quatrième m'était passé à ras de la carotide gauche et la dernière avait dû m'arracher un cheveu. Tous étaient allés se piquer dans un tableau noirci représentant le Sacré-Cœur de Jésus.

Figé, une barre en travers de la gorge, je restais muet. Je crois que si j'avais eu une arme sur moi, je descendais le type aussi sec.

— Damné fou! glapissait le gnome du comptoir. Ça vous amuse de détériorer les œuvres d'art?

— Oui, fit l'autre impassible, tout en s'avançant lentement vers moi. Ça me fait rire.

Me retournant, j'avais arraché de la toile où elle était fichée, une des fléchettes. Une jolie saleté avec une pointe d'acier effilée longue comme mon index. Le type était arrivé à côté de moi. Large, lourd, il s'adossa au comptoir.

Je n'avais même pas la solution de lui flanquer mon poing sur la gueule. Sous son lard, il devait posséder une sacrée musculature.

— Buvez donc un verre à ma santé, me lança-t-il d'une voix qui ressemblait à un aboiement.

— Non. Je regrette mais je n'accepte rien d'un cinglé qui a failli me crever un œil.

— Non, pas failli. Je n'ai pas voulu, c'est tout. Vous avez eu de la chance.

Le gros reprit la fléchette que je tenais entre mes doigts et la planta dans le comptoir de bois.

— Vous avez eu de la chance, tout à l'heure, Français, reprit-il, mais il ne faut pas toujours compter sur la chance. La bonté divine n'est pas inépuisable.

— Foutez-moi la paix avec la bonté divine.

L'autre remua sa tête massive.

— Écoutez, observa-t-il, je ne sais pas combien Kavannagh vous a promis pour venir à Dublin faire de la sale besogne mais, ce n'est pas une bonne affaire pour vous. Non, pas une bonne affaire du tout.

Il m'assena sur le ventre une tape qui était plus ou moins amicale mais qui eut pour effet de me provoquer une douleur aiguë à l'estomac.

— On vous l'a dit, hier, bien gentiment. Il faut vous tirer, mon vieux. Sinon...

— Sinon?

— Sinon vous ne retournerez pas intact en France et vous n'y retournerez peut-être même pas du tout. Remarquez que nous avons de beaux cimetières et d'excellents services funèbres.

— Je suppose que ce n'est pas vous, personnellement, qui avez des démêlés avec Michael Kavannagh? hasardai-je.

Il me jeta un regard écœuré.

— Comme si vous ne saviez pas que c'est M. Walsh qui a un compte à régler avec Kavannagh.

— Walsh?

— Oui, M. Sean Walsh.

Le nom qui, au premier abord, ne me disait rien, évoqua soudain pour moi l'épaisse silhouette du personnage au chapeau à bord roulé auquel était allé parler Michael, tandis que je restais avec Deirdre Olohan. C'était bien ce nom qu'avait prononcé le barman à mi-voix.

— M. Walsh, poursuivait l'autre, est un parfait gentleman mais il aime qu'on se montre correct en affaires avec lui et vous, le Français, vous ne pourrez rien contre ça. Buvez.

— ... Buvez à ma santé, reprit-il, et ensuite, je vous reconduirai à l'aéroport. Une place est retenue pour vous dans le prochain départ pour Paris.

Cette fois, c'était trop. Des années de retraite m'avaient peut-être réduit à l'état de cave mais entre un cave et une lope, il y a tout de même une légère distance.

Comme il répétait :

— Buvez!

Brusquement, je saisis mon verre et lui en balançai le contenu dans les yeux tandis que mon genou lui portait un coup de boutoir à l'emplacement présumé de ses testicules.

Il hurla de douleur, s'essuya le haut du visage, puis saisissant la fléchette plantée sur le comptoir, me fonça dessus, pointe d'acier au poing.

Je l'accueillis en lui laissant dégringoler sur le crâne une pile de boîtes de conserves ce qui brisa son élan et fit dévier son bras.

La seconde suivante, je transformais une chope de grès en marteau-pilon pour lui écraser les sourcils et le nez. Pissant du sang des deux narines, il s'écroula sur les genoux. Un instant plus tard, j'avais franchi la porte du pub.

Je ne m'attardai pas dans le coin. Franchissant la

Liffey sur un pont qui se présentait devant moi, je me retrouvai sur la rive opposée, entre les bâtiments de la Douane et un gratte-ciel.

O'Connell street était à proximité immédiate. Et la rue où vivait Deirdre ne devait pas en être loin.

D'avoir expédié l'autre chien au tapis m'avait redonné un moral de vingt ans.

Mais il était encore beaucoup trop tôt pour aller sonner à la porte de Deirdre Olohan. Je m'arrêtai dans le premier restaurant venu d'aspect plutôt encourageant et me mis à table.

Une heure plus tard, j'en ressortais, m'étant gavé d'huîtres de Galway, semblables à nos belons mais plus salées, de langoustines, d'anguille fumée et de crabe farci. Une bouteille d'un honnête bourgogne blanc avait arrosé le tout. Décidément, je m'éloignais à toute vapeur de mon régime. Mais ça n'est pas à coup d'eau gazeuse qu'on peut faire face aux ennuis, tous les médecins de la terre n'y peuvent rien.

Deirdre habitait un troisième, Marlborough street, très près de la cathédrale. A trois heures moins deux exactement, je sonnai à sa porte ou plus précisément, je tirai un pied de biche qui déclencha un carillon grêle.

A travers le battant, j'entendis une voix — celle de Deirdre — qui me parut lointaine.

— Qui est-ce?

— Moi, François.

— Entrez.

Je tournai le bouton de cuivre et pénétrai dans un court vestibule aboutissant à une pièce au plafond très haut comportant une verrière. Tout de suite, je sus pourquoi Deirdre ne s'était pas donné la peine de venir m'ouvrir. Tout simplement parce qu'elle était nue. Intégralement nue, sous la lumière crue de deux projecteurs dont les faisceaux s'entrecroisaient, Deirdre couvrait de couleurs une toile de sa taille dont je ne voyais que le dos et le châssis installé sur un chevalet.

Sur l'instant, j'eus le souffle coupé. Je me serais attendu à tout sauf à la vision de ce corps à la peau laiteuse semée de taches de rousseur tant sur les deux poires aux mamelons mauves du buste que sur toute l'étendue des longues cuisses que la danse avait musclées sans en déformer le galbe.

Au bas du ventre légèrement bombé, une broussaille dorée exceptionnellement développée marquait le pubis. Je me sentais incapable de rien regarder d'autre.

— Vous voudrez bien m'excuser encore un instant, me lança la jeune femme, avec une intention vaguement moqueuse, mais, j'ai encore quelques touches un peu délicates à donner.

Je levai les yeux. Deirdre souriait de toutes ses dents. J'hésitai une seconde à lui sauter dessus.

— Otez votre pardessus, poursuivit la rousse, et asseyez-vous donc sur le divan qui est derrière vous. Je termine tout de suite.

J'abandonnai mon poil de chameau humide de pluie au dossier d'une chaise, me posai sur le bord d'un immense divan couvert d'une grande draperie marocaine à raies rouges, blanches et noires et jetai un coup d'œil autour de moi.

La pièce était longue mais pas très large et seulement meublée du divan sur lequel j'étais assis, de quelques chaises, d'un rocking-chair, de deux fauteuils gonflables, d'un piano à queue, d'un coffre à ferrures ciselées et d'un vieux bahut de chêne massif.

Des oiseaux de mer empaillés étaient posés un peu partout et, aux murs, entre des rangées de livres et de disques, s'alignaient ce que je supposai être les œuvres de Deirdre. Des toiles assez déconcertantes.

Toutes quelles que soient leurs dimensions se ressemblaient plus ou moins. Des assemblages de points et de traits de diverses couleurs. Comme je me levais pour les voir de plus près, leur auteur m'interpella :

— Vous aimez?

— Je ne sais pas.

En hypocrite, je me rapprochai du chevalet.

— Je peux admirer?

— Surtout pas. J'ai horreur de montrer une toile lorsqu'elle n'est pas tout à fait terminée. D'ailleurs, j'en ai fini pour aujourd'hui.

Elle fit rouler le chevalet jusqu'à l'amener à faire face à un des murs, puis s'éclipsa derrière une portière de velours bouton d'or. Quelques secondes, elle réapparaissait, vêtue d'un kimono de soie cramoisie.

Je dus avoir un regard de regret car elle me lança un sourire narquois.

— Qu'imaginiez-vous? Que j'avais l'habitude de recevoir mes amis à poil?

— Ce n'est pas encore l'heure du thé, ajouta-t-elle, mais c'est toujours celle du whisky. Avec de l'eau? des glaçons?

— Sec.

— Parfait.

Je m'étais rassis au bas du divan, elle s'installa tout

en haut, sortit d'une table de chevet une bouteille et deux verres et nous servit largement.

La première gorgée bue, la jeune femme me lança un regard devenu soudain grave.

— François, que se passe-t-il actuellement entre Michael et Nathalie?

— Mais rien, absolument rien que j'ai pu remarquer.

— Si, insista-t-elle, il se passe quelque chose. Tenez, cette histoire de foulard par exemple dont il a été question, hier soir.

— Au fait, oui, ce foulard?

— Je suis persuadée que c'est Nathalie qui en a fait elle-même, cadeau à Tchin-Tchin O'Hara. Pourquoi? Mais comme ça... peut-être pour provoquer un accrochage entre lui et son mari. Elle savait que O'Hara se ferait une joie maligne d'arborer son cadeau et comme il se montre un peu partout, il était inévitable qu'avec Michael, ils finissent par se tomber dessus.

Elle avait laissé surgir un de ses genoux nu, d'entre les pans de l'ample kimono.

— Mais assez parlé de Nathalie, fit-elle. Si nous nous autorisions encore un verre?

Tout en nous resservant, elle permit à son vêtement de s'ouvrir largement sur sa poitrine tandis qu'étirant la jambe dont elle avait laissé voir un genou, elle découvrait la cuisse presque jusqu'au pli de l'aine.

Un instant plus tard, je tenais Deirdre entre mes bras et collais ma bouche contre la sienne.

Elle mit une sorte de fureur à projeter d'un coup de reins, son ventre contre moi. La seconde suivante, elle m'appartenait tout entière.

Nous étions encore soudés l'un à l'autre, ayant perdu totalement la notion du temps lorsque la sonnerie du téléphone retentit dans l'atelier.

Deirdre se dégagea.

— Ne répondez pas.

— Si. J'attends un coup de fil important pour moi, très important.

Elle avait sauté du divan pour se précipiter vers un téléphone bleu posé sur une table à dessin, encombrée d'esquisses.

A peine eut-elle décroché et porté l'écouteur à son oreille, que je la vis pâlir.

— ... Oui, fit-elle d'une voix rauque, c'est bien moi...

Ensuite toute sa part du dialogue consista à répéter... oui... oui... une douzaine de fois.

Lorsqu'elle reposa le combiné sur sa fourche, ses traits étaient décomposés.

— Ça ne va pas? lui lançai-je.

— Si... si... très bien...

C'était façon de parler. Le regard fixe, elle semblait ne plus me voir et elle s'était figée sur place. J'allais me lever lorsqu'elle me jeta :

— Excusez-moi, François...

Et pivotant sur ses talons, elle traversa l'atelier, d'un pas d'automate avant de disparaître derrière la tenture jaune qui masquait j'ignorais quelle pièce.

Je me rassis à la tête du lit, à la place qu'elle venait de quitter. Dépité, furieux. Furieux et tant soit peu inquiet. Pour qu'une fille pleine d'allant cinq minutes avant, se transforme soudain en ectoplasme sur un simple coup de fil, il fallait que son interlocuteur ou son interlocutrice ne se soit pas borné à lui parler de la pluie et du beau temps.

Machinalement, je revidai un verre de whiskey puis, comme la beauté rousse tardait à revenir, je me mis à feuilleter un album de photos qui se trouvait sur la table de chevet à côté d'un transistor et d'un cendrier débordant de longs mégots ourlés de fard.

Plutôt surpris, je découvris aussitôt qu'il s'agissait uniquement là d'un recueil où Deirdre figurait en compagnie de Michael. Des photos dont les dates indiquaient qu'elles avaient été prises durant les années précédant le mariage de celui-ci mais qui ne laissaient aucun doute sur les sentiments que devaient alors éprouver l'un pour l'autre le futur époux de Nathalie et celle qui possédait l'album. Que les clichés aient été pris en groupes ou qu'ils y figurent simplement tous les deux, les attitudes étaient les mêmes, les enlacements aussi tendres. Quant au reste, seul le décor variait : montagne, plage, bateau, balades à cheval, soirées costumées.

Je refermai le bouquin relié de cuir vert.

Je m'apprêtai à me resservir une nouvelle petite dose de whiskey pour me faire prendre patience lorsque, tout à coup, l'appel d'une voix étranglée me parvint de derrière la portière de velours.

— ... Fran...çois!... François!... au... secours!

En trois enjambées, je franchis la pièce dans toute sa longueur puis écartai la lourde tenture. Je me retrouvai dans une salle de bains exiguë au sol recouvert d'un tapis de caoutchouc mousse rose sur lequel gisait Deirdre. Je m'accroupis. La première chose que je repérai, fut un tube métallique sur lequel Deirdre crispait les doigts de sa main droite.

— François, murmura la jeune femme qui avait de l'écume aux lèvres, François, j'ai peur... j'ai fait une bêtise... sauvez-moi... je ne veux pas... non, je ne veux pas...

C'était simple à saisir, la conne venait d'absorber un tube entier de barbituriques.

— Je vais prévenir un médecin, tout de suite, fis-je.

J'allais me redresser lorsque, de sa main gauche, elle s'agrippa désespérément à la manche de mon veston.

— Non, François, non... il ne faut pas... je ne veux pas que la police vienne ici...

— J'ai dit un médecin.

— Il préviendra la police... et ça, non, non...

Elle avait raison. J'ignorais pour quel motif, elle redoutait l'irruption des poulets chez elle mais, en ce qui me concernait, je n'avais aucun intérêt à être trouvé en compagnie d'une fille, à moitié à poil, venant de faire une tentative de suicide... une tentative qui risquait d'être une réussite. Qu'on me découvre avec Deirdre agonisante ou morte et j'étais dans de beaux draps.

La seule solution, c'était de tenter de tirer de là, la paumée, avec les moyens du bord. Et vite. Une mousse blanchâtre coulait des commissures de ses lèvres, ses narines se pinçaient et sa peau virait au gris.

Passant derrière elle, je la soulevai par les aisselles, la traînai jusqu'au lavabo et, là, la bloquant contre la cuvette, lui plantai deux doigts en fourche dans la bouche le plus avant possible.

Elle se débattit un instant tandis que ses jambes mollissaient, en un haut-le-corps, hoqueta puis, brusquement se mit à aller au refil.

Elle mit bien cinq minutes à se vider l'estomac, avec des pauses, des nausées et un demi-évanouissement. Je commençais à en avoir assez. Un mal fou à la maintenir debout, flasque comme une poupée de son à moitié vide et pesante tel du plomb.

Enfin, elle poussa un profond soupir et renversa sa tête sur mon épaule, en geignant doucement. Je saisis un gant de toilette, le mouillai et le lui passai sur le visage. Ses traits se détendaient mais elle était toujours très pâle et son cœur battait sec.

Dans un dernier effort, je l'emportai jusque dans son atelier où je l'étendis sur le divan. Apparemment, elle était sortie d'affaire. Moi, je ruisselais.

– Ça va mieux ?

Elle grimaça.

– Comme ça... merci, François... j'ai eu si peur...

– Ne parlez pas. Restez calme.

Elle ferma les yeux.

– Je vais vous faire boire quelque chose.

Elle approuva de la tête.

Il devait bien y avoir un coin cuisine contigu à l'atelier. Effectivement, je découvris une porte de l'autre côté du piano à queue sur lequel voisinaient des mouettes, un pétrel et un cormoran naturalisés.

La kitchenette n'était qu'un réduit occupé par une petite table, un fourneau et deux placards dont un ne contenait que de la vaisselle. Je fouillai dans l'autre pour y chercher soit de quoi faire une infusion, soit un paquet de thé.

Je ne dénichai ni tilleul, ni menthe, ni verveine, ni rien d'analogue. Par contre; dans une boîte à sucre, je tombai sur un pistolet à crosse de nacre. Un sept soixante-cinq, pas moins. Je vérifiai le magasin. Il était plein. Et en plus de l'arme, la boîte de carton contenait une cinquantaine de chargeurs. Le moins qu'on puisse dire est que l'exquise Deirdre possédait un sérieux ravitaillement et ne risquait pas de s'embarquer sans biscuit.

Ayant enfin mis la main sur un paquet de thé au jasmin, je revins dans l'atelier. Toujours, étendue Deirdre fixait le plafond de ses immenses prunelles grandes ouvertes.

— Du thé, ça vous ira ?

— Non, pas de thé. Servez-moi plutôt un whiskey. C'est ce qu'il y aura encore de mieux pour me retaper et me redonner du goût à l'existence.

Je ne la contrariai pas. La servis, me servis et m'assis tout près d'elle, sur le bord du lit.

— En fait de goût à l'existence, qu'a-t-on bien pu vous dire au téléphone pour vous le faire perdre en si peu de temps ? lui demandai-je.

Elle prit un air perplexe.

— Je crois qu'il serait préférable de vous laisser à l'écart de tout ça, François.

— Je pensais que vous aviez confiance en moi ?

— Là n'est pas la question. Mais nous nous connaissons à peine et...

— Et alors ?

— Alors, je suis horriblement gênée de vous parler de certaines choses.

— Vous me prenez pour un enfant de chœur ?

— Pas précisément mais...

— Mais ?

— Mais justement.

Ses réticences commençaient à me courir. J'insistai sur un ton un peu plus sec.

— Allons, Deirdre, décidez-vous. Si vous teniez à tant de discrétion, vous auriez aussi bien fait d'attendre mon départ pour vider votre tube de barbituriques. N'oubliez pas, par ailleurs, que s'il vous était arrivé malheur, tout à l'heure, je me serais retrouvé, moi, dans un drôle de bain.

Elle sourit.

— Vous ne seriez pas, par hasard, un tout petit peu égoïste François ?

Je lui rendis son sourire.

— Non. Lucide tout au plus. Et maintenant, je vous écoute.

Elle se tortilla sur elle-même dans son kimono, maintenant refermé du premier au dernier bouton, du col à l'ourlet du bas qui lui couvrait les chevilles.

— J'ai honte de m'être donnée ainsi en spectacle devant vous, François. Jamais je n'aurais dû. Je me suis affolée. J'étais si bien, près de vous et soudain, ce type qui me menaçait au téléphone, m'injuriait. J'ai perdu la tête.

— Qui vous menaçait ? De quoi ?

Deirdre détourna son regard.

— François, j'ai été très imprudente un peu avant Noël dernier. Disons que j'ai été amenée à poser pour des photos très particulières. Vous me comprenez ? Cela avait commencé d'une façon tout à fait professionnelle. Une danseuse doit pouvoir disposer de photos, n'est-ce pas? Puis cela a dégénéré. Un jour, à la campagne, j'ai accepté ce que je n'aurais jamais dû accepter. Il y avait parmi nous quelqu'un qui arrivait de Londres et avait ramené du haschich. J'ai voulu faire comme tout le monde et, ensuite, je n'ai plus trop su où j'en étais. Et maintenant, c'est le chantage. Si ces photos se mettent à courir dans Dublin, c'est le scandale et si jamais, on en fait commerce, je risque la prison. On ne plaisante pas avec ça, ici.

— On peut vous reconnaître sur ces photos?

— Que trop.

— Vous y êtes seule?

— Non. Vous donner les noms de mes partenaires ne servirait à rien. Vous ne les connaissez pas et ils sont pris de telle façon qu'on ne puisse pas les identifier.

— Nathalie était là?

Réaction violente de sa part.

— Mais jamais de la vie. Pourquoi tenez-vous à mêler Nathalie à cette histoire?

— Je n'y tiens pas. Je me renseigne. Qui a pris ces photos?

— Tchin-Tchin O'Hara.

— Et c'est lui qui vous fait chanter?

— Non, mais c'est tout comme. C'est même pire parce qu'il s'agit de quelqu'un de beaucoup plus dangereux. Jamais O'Hara n'aurait fait ça de sa propre initiative. Mais lorsque l'autre décide quelque chose, il se plie à ses quatre volontés.

— Quel autre?

— Vous ne le connaissez pas. Un homme plus âgé. Une fripouille de bookmaker... un certain Sean Walsh.

— C'est lui qui vous a appelée ?
— Oui. Ça fait des jours et des jours qu'il insiste.
— Et il vous réclame combien ?
— Quatre mille livres.

A côté du chiffre exigé par les ravisseurs de Nathalie, ça m'apparaît ridicule. Deirdre doit plus ou moins confusément se rendre compte de ma réaction, car elle lance, avec véhémence :

— Mais je n'en ai pas le premier penny.
— Walsh le sait ?
— Il s'en doute bien.
— Alors, il est idiot ?
— Non. Selon lui, une fille jeune et jolie trouve toujours à se procurer l'argent dont elle peut avoir besoin. Il me l'a encore redit tout à l'heure.

X

Il est près de cinq heures lorsque je regagne la pizzeria de Michael et trouve celui-ci est au premier, penché sur un livre de compte. Il relève la tête, en me voyant entrer dans le living.

— Alors ? fait-il.

— Ça va. C'est d'accord.

Le visage sombre de l'Irlandais s'illumine.

— Tu veux bien dire que tu marches ?

— Je dois te faire un dessin ?

Je ne dois pas avoir l'air de déborder d'enthousiasme car Michael, sans doute pour me gonfler, se dresse, me prend par les épaules et m'embrasse avec une émotion qui devrait m'aller droit au cœur si je n'étais pas encore sous le coup de ma visite à Deirdre.

— Parrain, tu es le Bon Dieu, en personne.

— Arrête, Michael. Va plutôt avertir ton cuistot qu'il peut partir pour Londres chercher le matériel.

Le mari de Nathalie éclate d'un grand rire.

— Inutile. A Londres, il doit s'y trouver à l'heure qu'il est et il sera de retour dans la soirée avec tout ce qu'il faut.

Là, je suis sidéré par son culot.

— Comment? Tu as pris sur toi de l'expédier là-bas, sans même attendre ma décision?

— Ne te fâche pas, François. Il fallait gagner du temps et je savais que je pouvais te faire confiance. Tu n'es quand même pas un monstre. Tu ne pouvais pas laisser tomber ta filleule. Tu ne te le serais jamais pardonné, tel que je te connais.

— Ouais, ma filleule... Tiens, sers-moi un verre.

— D'eau minérale? s'enquiert-il, avec l'air de se foutre de moi.

— Garde-la pour arroser tes pots de fleurs, ton eau minérale. N'oublie pas que tu as affaire à quelqu'un qui va se remettre au travail.

Me remettre au travail... si du diable, j'aurais pu penser que ça m'arrive encore. Et pourtant... me voici réembarqué sur un turbin. Comme un jeune homme. Je ne m'en sens pas tellement rajeuni pour ça. Je dois même m'avouer que j'ai les foies.

Je ne voudrais pas qu'on puisse se faire une idée du gâchis qu'il y a actuellement dans mon cerveau et du remue-ménage qui me secoue les intestins. Et quand je dis « on », c'est à Deirdre que je pense.

Pour celle-là, je voudrais pouvoir redevenir l'épée que j'étais à trente ans. Nerfs d'acier, cœur de marbre, tête froide et sang chaud. Pour l'instant, le maximum que je peux faire, c'est bonne figure. Rien de plus. Je sauve les apparences et bois le coup pour tenter de me remettre en selle.

C'est dans ces dispositions d'esprit que j'ai quitté Deirdre après lui avoir fait jurer qu'elle ne profiterait pas que j'ai tourné le dos, pour recommencer ses conneries. Et l'avoir assurée que ses quatre mille livres, elle pouvait considérer qu'elle les avait déjà en poche.

Et les promesses que j'ai pu lire dans ses yeux, en guise de remerciement, ce n'est pas quatre mille livres qu'elles valaient. C'était sans prix.

Avec ça, je ne pouvais même pas lui reprocher d'être une femme d'argent car juste avant que je m'en aille, elle m'avait suggéré :

— François, si vous éprouviez des difficultés à vous procurer cette somme, il y aurait peut-être une autre solution.

— Laquelle?

— Personne ne verserait une larme sur Sean Walsh s'il lui arrivait quelque chose...

Ça, lancé avec un regard de derrière ses longs cils qui exprimait bien ce qu'il voulait dire.

— Pourquoi penses-tu que je serais capable d'une chose pareille?

— Mais parce que c'est aussi une solution.

— Pas pour moi.

— Même pour moi?

J'ai laissé sa question sans réponse. Ils ne doutaient de rien décidément dans ce pays. Que pour sauver la mise de Nathalie, je me remette à mon ancien métier, passons. Mais que pour cette merveille rousse, je devienne un tueur, non. Pas d'accord.

Je ne parle évidemment de rien à Michael. Les quatre mille livres, je les prélèverai sur ma part une fois la rançon de ma filleule réglée, et le tour sera joué.

Par contre, je ne cache rien du petit incident qui s'est déroulé dans le pub des docks et de la nouvelle invitation à déguerpir que j'ai reçue de l'autre affreux. Ça rembrunit tout de suite Michael.

— Tu penses qu'il t'avait suivi ?

— Inévitablement. Il ne m'est tout de même pas tombé dessus par hasard. Dis-donc , Michael, ce Walsh à qui tu as fait un brin de causette, hier soir, c'est qui au juste ?

— Un coriace.

— Tu ne penses pas que ce pourrait être lui ou des types à ses bottes qui seraient pour quelque chose dans la disparition de Nathalie ?

— Je me suis posé la question mais, tout bien raisonné, je ne le pense pas. Walsh est un salaud mais il n'est pas homme à prendre sur lui la responsabilité d'un rapt.

— Il faut bien que quelqu'un l'ait prise, en tout cas. Au fait pour quand envisages-tu notre petite visite à la vieille dame ?

— Ce soir-même.

Et comme je sifflote, il poursuit :

— Janos doit prendre un avion-taxi pour revenir. Normalement, il devrait être là pour le dîner . Nous aurons tout le temps alors pour mettre un plan sur pied. Ma Ford est réparée et Glendalough est à moins de trente-cinq milles de Dublin. Tu te sens d'attaque, parrain ?

— Il faut bien.

— Encore un petit whiskey ?

— Si tu veux.

— Tout à l'heure, je vais descendre faire un tour à la cathédrale Saint-Patrick, c'est tout à côté. Tu ne voudras pas venir ?

— Quoi faire ?

— Mettre un cierge et dire une prière pour notre réussite.

— Tu iras tout seul.

Maintenant que je sais le travail imminent, je commence à me ronger les ongles d'impatience. Par instants, j'aurais envie de flanquer un coup de pied à la grosse horloge carillon qui sonne les heures, les demis et les quarts, pour la faire avancer plus vite. A d'autres moments, je souhaite intérieurement que le Hongrois revienne les mains vides et qu'on renonce à tout ça. Puis je repense à Nathalie et à Deirdre aussi, et je me dis que faute d'outillage, je suis prêt à monter sur le coup les armes à la main. Mais quelles armes? Michael n'est pas le garçon à détenir chez lui un arsenal.

Je transpire doucement. Je monte dans ma chambre changer mon polo mouillé contre une chemise fraîche et lorsque je redescends, Michael n'est plus là. Certainement sorti rendre visite à son cher vieux saint Patrick, comme il en avait manifesté l'intention. Moi, je continue à faire mes dévotions à la bouteille de whiskey.

Par moments, je marche de long en large dans le living, m'arrêtant au passage devant l'une ou l'autre des fenêtres qui donnent sur la rue. Je finis par repérer un type immobile sur le trottoir qui fait face à la pizzeria. Il s'abrite sous un grand parapluie noir et je ne distingue de lui que ses jambes et ses chaussures. Mais lorsque une accalmie se produit et qu'il referme son pebroc, je reconnais tout à coup le bonhomme. C'est tout simplement le vieil ami qui a failli m'éborgner quelques heures plus tôt dans les docks.

Il suçote un cigarillo et ne bouge pour ainsi dire pas,

ne cherchant pas, en tout cas, à passer le moins du monde inaperçu.

J'aurais presque envie de descendre lui dire deux mots, ce qui me calmerait les nerfs mais je me retiens. L'instant n'est pas choisi pour attirer l'attention sur moi et sur la boîte de Michael.

D'ailleurs la sonnerie du téléphone détourne mon attention. Je vais décrocher et reconnais tout de suite la voix de Solange. Et je m'aperçois non moins vite qu'elle ne paraît pas d'humeur folâtre. Je n'ai qu'à l'entendre :

— François, que se passe-t-il, là-bas?

— Mais rien. Que veux-tu qu'il se passe? Demain, nous devons aller à la chasse.

— A la chasse à quel gibier? ricane-t-elle.

Je n'aime pas beaucoup le ton qu'elle prend.

— Oh, eh, Solange. Si tu as quelque chose à dire, dis-le.

— Michael est là?

— Non.

— Et Nathalie?

— Non plus.

— Alors, toi tu es tout seul chez eux?

— Il faut croire.

— François, j'ai encore reçu à ton sujet un coup de fil qui ne m'a pas plu.

— Un coup de fil de qui?

— D'une femme... enfin, je crois... et qui s'est bien gardée de dire son nom. Elle m'a simplement avertie qu'à force de vouloir jouer les rigolos, tu allais gagner.

— Les rigolos? Moi, je joue les rigolos?

— Que tu les joues ou non, ça te regarde. Mais tu

ne m'enlèveras pas de la tête qu'en ce moment, il y a quelque chose qui ne tourne pas rond là où tu es.

— Qu'est-ce qui te fait penser ça?

— Mon intuition de femme, d'abord et ensuite, les allusions de l'autre salope.

— Mais des allusions à quoi?

— Au fait que tu ne serais pas parti tout seul pour Dublin. Mais aussi que tu traînerais derrière toi des gens d'ici dont tu ne te doutes pas et qui ne te veulent pas de bien.

— Des histoires.

Brusquement, elle cesse d'être agressive pour me proposer :

— Mon chéri, et si j'allais te retrouver? Je serais plus tranquille.

— Pas question. Et l'agence?

— Pour les affaires qu'on traite en ce moment. Les petites pourraient s'en charger.

— Tu t'ennuierais. Il pleut sans arrêt ici. Le déluge. Et à partir de demain nous allons passer nos journées à la pêche ou à la chasse.

— Mais Nathalie?

— Nathalie nous accompagnera.

— Je ne savais pas que Nathalie aimait chasser et pêcher.

— Elle a appris à l'aimer avec son mari.

— Autrement dit, tu ne veux pas de moi?

— Ça n'est pas ça. Je trouve simplement inutile que tu te déplaces sans raison.

— Bien.

Je me suis montré sec. Il ne manquerait plus que ça qu'elle me tombe du ciel, alors que demain, l'affaire du collier réglée, je pourrai consacrer un peu de temps à Deirdre.

– François, reprend Solange.

– Oui.

– Tu ne bois pas au moins ?

– De l'eau.

– Pense à ton foie.

– Je ne pense qu'à lui.

– S'il pleut tant que ça, il doit faire humide. Tu n'as pas peur d'attraper des rhumatismes ?

– Merde !

Sur cette bonne parole, nous raccrochons. Je m'accorde un nouveau whiskey pour conjurer le sort.

A force de conjurer le sort, lorsque Michael rentre, trois quarts d'heure plus tard, je commence à flotter doucement dans ma peau. Quant à Michael, qui n'a pas dû passer son temps qu'à prier saint Patrick, il est un rien congestionné et ses yeux bleus ont un éclat inhabituel. Je préfère ne pas lui demander combien il y a de pubs entre la cathédrale et la pizzeria.

Nous n'avons, d'ailleurs, pas le loisir d'échanger trois phrases. Une des blondes du restaurant monte nous dire que le Hongrois est en bas, avec un taxi et qu'il compte sur nous pour l'aider à décharger des paquets. Nous dévalons l'escalier quatre à quatre.

Janos nous attend sur le trottoir, échangeant de la monnaie avec son chauffeur, qui vient de sortir du coffre de sa voiture, trois grosses valises. Michael, le cuisinier et moi en prenons chacun une et regrimpons au premier.

– Vous avez eu ce que vous désiriez ? s'enquiert le mari de Nathalie.

— En tous points parfait, Sir.

— Pas eu d'ennui avec la douane ?

— Aucun.

Cette fois, les dès sont jetés. Je m'octroie un petit verre d'encouragement tandis que Janos ouvre les valises.

Et lorsque tout à coup, je m'approche et découvre leur contenu, j'éprouve peut-être une des plus grandes joies de ma vie d'homme. Ce Hongrois m'a tout simplement rapporté des merveilles.

Je ne sais pas qui sont ses amis de Londres qui lui ont fourni ce matériel mais le moins qu'on puisse en penser c'est que ce sont des gens capables et sérieux.

Je crois que je ressens à détailler cet outillage un coup au cœur comparable à celui que j'ai eu en trouvant, cet après-midi, la grande rousse nue devant son chevalet.

Ne parlons pas des bouteilles de propane, d'oxygène et d'acétylène et du chariot porte-bouteilles destiné à assurer la mobilité de l'installation. C'est dépourvu de poésie, mais l'autre a quand même bien fait de se donner un surcroît d'encombrement pour les amener de Londres afin d'éviter de nous faire repérer sur place par ce genre d'achats.

Venons-en plutôt au reste. Le principal. La superpanoplie.

Un Remus acétylène à trois têtes de coupe, avec manche monobloc matricé et trempé et commande d'ouverture de coupe par gâchette latérale à faible course et réponse instantanée. L'outil, qui peut se farcir des blindages de 600 millimètres . Un rêve.

Un Rapid 66 propane également à trois têtes de

coupe, avec commande d'ouverture par volant. Une œuvre d'art.

Le tout accompagné de manodétendeurs blindés, d'étriers de fonte, de clés de serrage et d'ouverture et de deux fois vingt-cinq mètres de tuyau de caoutchouc, de cinquante attaches doubles, d'un allume-gaz éclair, d'une pochette de quatre alésoirs calibrés permettant le nettoyage de tous les diamètres de buses sans le moindre risque de déformation, et de trois paires de lunettes soudeur.

Il n'a oublié aucun accessoire, le chef de cuisine.

Depuis l'économiseur indispensable pour les travaux nécessitant des arrêts fréquents, les colliers de serrage et les raccords pouvant rendre instantané le montage d'un chalumeau ou son remplacement, avec prise directe sur l'appareil, jusqu'à l'intercepteur arrêt explosion comportant un clapet automatique et un filtre servant de pare-flamme. Ceci pour stopper net les retours explosifs des gaz combustibles.

La retraite ne m'avait pas empêché de continuer à m'intéresser à ce que la technique continuait à offrir aux travailleurs en activité. Quand on a l'amour du métier, c'est jusqu'à la mort. Et là, chapeau! Je ne pouvais espérer mieux.

Il y avait pourtant mieux. Une des toutes dernières trouvailles dans l'art de transformer les matériaux métalliques ou minéraux en bouillie liquide. Autrement dit, une lance thermique. Ou plus exactement deux. De quoi ratatiner les plus méchants blindages et faire pleurer le béton armé et la fonte.

Le procédé est relativement simple. On utilise pour les forages un tube d'acier par lequel on fait arriver, un jet d'oxygène sous pression. Considérable avantage, en plus de son action oxydante, le gaz a pour effet de chasser les résidus liquides hors du trou, en cours d'opération. Pour augmenter la quantité de chaleur dégagée par la lance, on remplit le tube soit avec des fils de fer, soit avec des fils d'alliage d'aluminium. Les deux cas ont été prévus.

Michael qui suit du coin de l'œil ma contemplation du matériel, finit par me demander :

— Alors tu es satisfait?

Je ne trouve rien à lui répondre d'autre que :

— Merci.

Puis je le saisis par les épaules et je l'embrasse. Je me tourne ensuite vers Janos pour lui dire :

— Vos amis sont des gens bien.

— Incontestablement, Monsieur.

— Et maintenant, si nous parlions des détails?

Je m'assieds sur le bras d'un fauteuil, laissant les valises ouvertes devant moi, à mes pieds, pour continuer à me réjouir l'œil avec la vision de leur contenu. Janos a pris une chaise et sorti d'un calepin une feuille de papier quadrillé qu'il déplie. Le plan d'une habitation s'y trouve tracé. Michael, toujours debout, se penche sur l'épaule de son cuisinier qui, de l'ongle de son index, indique la marche à suivre, tout en commentant :

— Il nous faudrait arriver à Glendalough aux alentours de minuit. A cette heure, il y a longtemps que Mme Mulcahy est endormie. Elle a le sommeil très profond et est sourde, de surcroît. Vous voyez les facilités que cela nous donne.

J'interviens tout de suite.

— Je suppose qu'elle ne vit pas seule dans son manoir ?

— Bien sûr que non. Il y a en permanence trois personnes là-bas. Un chauffeur, sous-officier en retraite, dans la soixantaine, une cuisinière, celle qui m'a succédé, et une femme de chambre noire. Plus deux jeunes filles du village pour faire le gros du travail, mais elles rentrent le soir chez leurs parents, nous n'avons donc pas à tenir compte de leur présence.

— Où couchent les trois autres ?

— La femme de chambre dans une pièce contiguë à celle où dort sa patronne, au premier. La porte de communication demeure ouverte toute la nuit afin que celle-ci puisse appeler en cas de nécessité. Thomas, le chauffeur, dispose d'un local au-dessus du garage. Comme il est pratiquement ivre mort chaque soir, il ne saurait nous gêner en rien. Quant à la cuisinière, elle doit normalement occuper la chambre qui était la mienne, au second étage. Étant donné l'épaisseur des murs, on n'entend de là rigoureusement rien de ce qui peut se passer au rez-de-chaussée.

— C'est au rez-de-chaussée que se trouve le coffre ?

— Oui, dans l'ancien bureau de M. Mulcahy.

— Grosse pièce ?

— Bien que n'étant pas un spécialiste, j'ai l'impression que oui. C'est pourquoi j'ai demandé à mes amis de Londres de voir grand.

Je jette un regard attendri vers les lances thermiques et les chalumeaux.

— Avec ces outils, aucune inquiétude. Mais pour entrer dans la place ?

Janos sourit.

— En quittant le service de Mme Mulcahy, j'ai, par mégarde, emporté dans mes bagages, la clef de sûreté d'une des portes. Et, par négligence, j'ai depuis toujours oublié de la restituer à sa propriétaire.

— Êtes-vous sûr qu'elle n'aura pas fait changer la serrure ?

— C'est tout à fait improbable, Mme Mulhigan ne s'occupe pas elle-même de ces détails. C'est Thomas qui, chaque soir, est chargé de boucler portes et fenêtres. De toute façon, toutes les clefs ont un double et la disparition d'une d'entre elles n'aura pas été remarquée. Et Thomas, lui, n'a pas en général les idées très nettes, je le répète.

— Pas d'autre question à poser ? lance le mari de Nathalie.

— Existe-t-il un système d'alarme ?

— Non. D'une part, Mme Mulcahy n'est pas d'un tempérament craintif, d'autre part, elle a une totale confiance dans ses compatriotes. On ne juge pas utile de se barricader chez soi lorsqu'on proclame à longueur de temps que les Irlandais sont les gens les plus honnêtes de la terre.

— Ce qui est la stricte vérité, ponctue Michael qui ajoute à mon adresse : C'est tout, François ?

— C'est tout.

— Eh bien, Janos va alors descendre au restaurant s'occuper de la cuisine. Inutile qu'il se fasse remarquer par son absence. Que les filles activent simplement un peu le service.

— Ce sera fait, Sir.

Il achève son verre et s'éclipse.

— Ce n'est pas quelqu'un de précieux que j'ai là ?

lance Michael dès que l'autre a refermé la porte.

J'approuve de la tête, vaguement. Je suis déjà repris par la fascination qu'exerce sur moi le matériel. Je me penche sur les valises pour palper les outils, les prendre en mains, les caresser.

Maintenant oui, je me sens brusquement rajeuni de Dieu sait combien d'années. Finis les gargouillements dans le ventre et les pincements au cœur. Je parlais de Deirdre tout à l'heure. Eh bien, lorsque, cet après-midi, j'ai eu la pointe mauve et dure de ses seins nus entre mes doigts, le contact fougueux de son bas-ventre contre le mien, ses lèvres ouvertes sous ma bouche, je n'ai pas été plus heureux ni plus excité qu'en ce moment présent.

Pour tout dire, je bande comme un cerf.

XI

Assis à l'avant dans la Ford à côté de Michael qui conduisait, je tenais la grande forme.

Vers minuit moins le quart, juste après la fermeture des pubs, à tous les trois nous avions embarqué sans difficulté les valises dans le coffre et à l'arrière de la voiture, où s'était installé Janos. Puis nous avions pris le chemin du comté de Wicklow.

Il était temps que nous partions car, avec Michael, tout en prenant un repas léger — il ne faut jamais monter sur un travail avec l'estomac trop chargé, ça a toujours été mon principe — nous avions peut-être un peu forcé sur le whiskey. Quant au Hongrois, il était remonté de sa cuisine avec l'air de ne plus avoir très bien les yeux en face des trous.

De toute façon, ce n'était pas tragique. L'air frais de la campagne était en train de nous donner un sérieux coup de fouet.

Nous avions longé la côte jusqu'à un patelin du nom de Dun Laoghaire avant de nous enfoncer dans l'intérieur des terres, au milieu de collines boisées.

Il avait cessé de pleuvoir vers les huit heures et le ciel s'était dégagé d'un seul coup. C'était parfait pour admirer le paysage — on y voyait presque comme en plein jour — mais, parole, j'aurais préféré me passer de cette sacrée lune toute ronde qui semblait nous narguer.

— Demain, fit observer Michael, Nathalie dormira dans notre lit.

L'index et le petit doigt pointés, Janos effectua le signe de la jettatura.

— Il ne faut pas parler de ça. Jamais avant qu'un désir soit réalisé, ça porte malheur.

— Vous croyez que nous n'avons pas d'assez jolis porte-bonheur dans les valises?

— Malgré tout, Sir, malgré tout...

— Voici les monts de Wicklow, annonça Michael.

Nous roulions sur un vaste plateau désertique couvert de bruyères, plutôt lugubre sous la clarté blafarde. Par instants, notre passage faisait s'envoler quelques oiseaux noirs qui poussaient des cris aigres. Rien de réconfortant.

— Une larme de whiskey me ferait le plus grand bien, dis-je à Michael.

Il sortit une large gourde de cuir de la boîte à gants et me la tendit. Je bus au goulot une large rasade.

— Attention, nous prévint Janos, nous n'allons pas tarder à arriver. Nous entrons dans la « Vallée des deux Lacs ». Après le second, il faudra tourner à gauche, ensuite c'est à deux kilomètres de là, à flanc de montagne.

Vus de la voiture, les lacs en question me firent l'effet d'être de simples étangs, cernés de rocs. Tout à côté, au milieu de sapins, se dressaient des ruines.

— Tout ce qui reste du monastère de Saint-Kervin, signala Michael qui semblait, lui aussi, bien connaître la région. Un bon vieux saint irlandais. Qu'il nous protège !

Il s'adjugea une gorgée d'alcool et, passa le flacon gainé de cuir à son cuisinier qui tendait la main.

— Eh, j'intervins, doucement, doucement.

— Les Hongrois savent boire aussi bien que les Irlandais, riposta Janos.

— Pas aussi bien mais presque, rectifia le dublinois.

J'avais conscience d'avoir moi aussi un peu trop chargé la mule et ça me rendait nerveux.

— Il s'agit de savoir si nous nous rendons à un travail sérieux ou à un concours de dégustation, lançai-je aux deux autres.

— Ne te fâche pas, François. Tout se passera bien.

Janos grommela un juron qui devait être du hongrois.

Un vent violent s'était levé qui sifflait contre les tôles de la Ford et secouait la cime des sapins, entre lesquels nous avancions, remontant un chemin plutôt raide et salement cahoteux.

Et tout à coup, nous nous sommes retrouvés devant une double grille de fer qui coupait un long mur de quatre ou cinq mètres de haut.

— Nous y sommes, annonça Janos. Vous pouvez garer la voiture sur la gauche, monsieur Kavannagh.

— Vous avez la clef de la grille ?

— Non.

Je me mis à râler.

— Vous n'espérez pas qu'on va faire passer le matériel par-dessus le mur de clôture, non ?

L'autre sourit.

— Il n'en est pas question. Si l'on y voyait mieux

vous pourriez distinguer d'ici une petite porte de bois à moins de vingt mètres. Elle n'est jamais fermée et au cas improbable où elle le serait, le bois est tellement vermoulu qu'en deux coups d'épaules, on en aurait raison. Pendant que vous déchargerez le matériel, je vais me rendre jusqu'à l'entrée dont j'ai la clef, pour préparer le chemin. Ensuite, en trois voyages, avec le chariot porte-bouteilles, nous amènerons le nécessaire sur place.

J'ignorais si c'était le whiskey qui le rendait optimiste mais il ne semblait pas concevoir le moindre doute concernant la réalisation de son plan, le cuistot.

Il avait par ailleurs pris toutes ses précautions. Il saisit sur la banquette et enfila un ample ciré noir qui lui descendait presque jusqu'aux chevilles, glissa sa tête dans un bas nylon fumée et s'enfonça sur le crâne un feutre sombre dont il rabattit les larges bords.

— Il ne se passera rien, précisa-t-il, mais on ne prend jamais assez de précautions. Et en cas de rencontre imprévue, il est préférable que je ne sois pas reconnu, n'est-ce pas?

— Vous n'emportez surtout pas d'arme sur vous? lui demandai-je.

— Non.

J'avais exigé qu'aucun de nous ne se munisse de revolver ou de pistolet. Je ne tenais pas s'il se produisait le moindre cafouillage de voir dégénérer l'expédition en carnage. Et avec les apprentis, on n'est jamais sûr de rien. Une seconde d'affolement et les balles partent toutes seules.

— Commençons tous par mettre nos gants, fis-je remarquer.

Avant le dîner, j'étais sorti acheter trois paires de gants de chirurgien en caoutchouc rose. Ils permettent un jeu de doigts infiniment plus libre que le cuir ou le tissu et présentent une sécurité absolue sur le chapitre des empreintes ce qui n'est pas le cas de n'importe quels gants. Plus d'un casseur en a fait la méchante expérience.

Tandis qu'avec Michael, nous commencions à sortir les valises, Janos, longeant la muraille, s'éloigna de l'endroit où stationnait la Ford.

Lorsque, dix minutes plus tard, nous l'avons vu ressurgir de l'ombre entre deux sapins, tout était prêt, paré.

— O. K., fit-il, pas le moindre ennui. La voie est libre. Quand vous voudrez...

Janos avait prévu trois voyages, il nous en suffit de deux pour que tout le matériel se retrouve sur place, à l'intérieur du manoir.

Sitôt la porte d'une aile franchie, le Hongrois avait allumé une lampe de poche pour nous guider. Tout ce que je peux dire c'est que nous avions suivi un long couloir dont le faible éclat de la loupiote ne nous permettait même pas de distinguer les murs, puis nous avions traversé une pièce en effectuant un slalom entre des fauteuils, des chaises et des tables et, lorsque enfin, notre guide nous fit signe que nous étions arrivés, Michael pressa le déclic d'une torche électrique dont la lumière crue nous éblouit un instant avant de nous permettre de repérer le décor.

Un bureau avec quelques beaux meubles de style anglais, que la veuve avait, selon toutes les apparences, transformé en musée voué au souvenir de feu Mulcahy.

Le bureau lui-même était surchargé de livres et de dossiers comme si la veille encore quelqu'un y avait pris place. Une chancelière était posée entre les pieds d'un fauteuil sur le dossier duquel se trouvait abandonnée une robe de chambre d'homme en fourrure.

Dans la cheminée, entre les chenets de fonte à têtes de chimères, s'entassaient quelques bûches à demi-consumées, couvertes de vieilles cendres. Sans doute la dernière flambée qui avait réchauffé le maître de maison.

Nos outils et nos bouteilles rangés sur le tapis détonnaient bizarrement dans cette atmosphère vieillotte de vie figée.

Dans deux vitrines s'alignaient des objets étiquetés et sur le mur qui leur faisait face était accroché un grand tableau que le pinceau de la torche tira de l'ombre. Il s'agissait du portrait d'un adolescent blond, bouclé, vêtu d'un habit rouge qui laissait dépasser un grand col et des manchettes de dentelle.

— Un Gainsborough, authentique bien entendu, observa le Hongrois.

Michael sifflota d'admiration.

Je dus intervenir. Sûrs d'eux comme tous les débutants, ces deux-là se croyaient en visite.

— Écoutez, nous ne sommes pas venus jusqu'ici pour discuter peinture. Janos, l'emplacement du coffre?

— Tout de suite.

Il tourna le dos à l'œuvre d'art et, faisant le tour de la table, s'avança vers une des vitrines qu'il fit pivoter sur elle-même sans difficulté, découvrant, encastrée dans le mur, une porte blindée d'à peu près un mètre cinquante sur deux.

Ce fut à mon tour de siffloter. Mais mon admiration avait une saveur saumâtre.

En technicien que je suis, il m'avait suffi d'un premier coup d'œil pour me persuader que ce coffre-là n'était pas de ceux qu'on fait pleurer avec une lime à ongle et trois épingles à cheveux. Encore heureux que nous puissions disposer d'un outillage en conséquence.

Je me retournai vers Michael qui était en train de faire un signe de croix.

— Ça ne va pas être de la tarte.

— Avec la protection du Sauveur et tes capacités, parrain, rien ne saurait nous empêcher d'en venir à bout.

Belle confiance.

Janos, lui, devait estimer que son rôle était plus ou moins terminé car il lança :

— Je vous laisse travailler. Je vais me mettre en faction dans le couloir central, au pied de l'escalier qui monte aux étages supérieurs. Il vaut tout de même mieux ne pas prendre de risques inutiles.

J'aimais autant qu'il s'éloigne. Avec sa dégaine de fantôme noir, il avait plutôt l'air d'un porte-poisse que d'une poupée fétiche. Et, par-dessus le marché, à vue de nez, il ne me faisait pas l'effet de posséder des qualités de bricoleur. C'est curieux, comme dans la profession, ces choses-là se reniflent. En outre, avec toute la quantité d'alcool qu'il avait dû ingurgiter, il ne semblait pas avoir les mains très sûres. Je les devinais un peu trop moites et tremblotantes dans leurs gants roses. Et entre un casse et la confection des scampi fritti, il y a un monde.

Je suis revenu devant le coffre, me suis agenouillé

devant — il méritait bien ça — l'ai longuement regardé avec le même œil que doit avoir un torero pour peser le fauve qui débouche dans l'arène, puis me suis mis à le palper de mes mains, du bout des doigts, en l'effleurant d'abord, pianotant sur la surface de métal froid, puis en accentuant la pression, le caressant, le jaugeant, me livrant aux mêmes attouchements à fleur d'épiderme qu'on pratique sur une femme avec qui ce n'est pas, au départ, du tout cuit. Une façon de lier connaissance en quelque sorte.

Planté derrière moi, Michael suivait mes gestes de très près, braquant son faisceau de lumière sur mes mains. Il y avait à cet instant un tel silence que je l'entendais respirer. Il est vrai qu'il avait le souffle légèrement précipité.

Suée par tous les pores de notre peau, flottant dans notre haleine, une senteur de whiskey nous environnait.

— Alors, on commence? finit par s'impatienter mon compagnon.

— Je l'ausculte.

Il n'allait tout de même pas me gâcher mon plaisir, cet apprenti, fermer sec le robinet à ce sang jeune qui coulait dans mes veines. Ah, si j'avais pu avoir à côté de moi, à ce moment, quelqu'un du métier... un Xavier Guiderdoni, par exemple. Lui surtout, qui, peut-être, en haut, me regardait, l'œil en vrille et le sourire en coin, me préparer à me lever le cul pour sauver les membres et la vie de sa minotte.

— Bon, je finis par conclure, si on ne tient pas à suer là-dessus cent sept ans et des poussières, c'est à la lance thermique qu'il faut attaquer ce bijou.

— Tu as tout ce qu'il faut, je suppose?

— Tout.

J'ai commencé par sortir d'une des valises un écran métallique destiné à être interposé entre la pièce à forer et l'opérateur, pour protéger le bonhomme des projections. Je l'ai mis en place et ai introduit la lance dans un des orifices prévus pour son passage. Ensuite, par-dessus mes gants de caoutchouc, j'en ai enfilé une paire en amiante, je me suis coiffé d'un béret de cuir et j'ai plaqué sur mon visage les lunettes de soudeur.

Michael à qui j'avais expliqué, après le diner, à Dublin le plus gros de ce qu'il aurait à faire et qui s'était livré dans son living à quelques répétitions, se livra sans problème à l'installation des bouteilles de gaz, à la mise en place du détendeur et des tuyaux souples et au montage de la lance de réserve.

Je me suis assuré que les tubes ne comportaient pas de corps gras et j'ai repoussé le tapis et les meubles proches du coffre afin que les projections ou l'écoulement des scories ne risquent pas de provoquer de dégâts. Puis j'ai ouvert le robinet du porte-lance et j'ai réglé le manodétendeur à la pression d'utilisation convenable. Il ne restait plus qu'à amorcer la combustion de la lance.

C'était au tour de Michael d'intervenir selon mes indications.

— Prépare le chalumeau soudeur. Amène-le. Chauffe maintenant.

Il s'exécuta. En très peu de temps, l'extrémité de la lance fut portée au rouge vif. A ce moment, j'ouvris progressivement le robinet d'oxygène et la lance commença à brûler. C'était l'instant de me coller au vrai travail.

Le plus simple était de découper tout le pourtour de la serrure et, avec un bout de craie, j'avais tracé un large cercle délimitant l'emplacement à faire souffrir.

J'approchai l'extrémité de ma lance du métal, l'appliquai sur un des points du cercle et aussitôt la chaleur de la réaction déclencha un début de fusion.

Ensuite, ce n'était plus que de la routine. Je me suis tout à coup senti terriblement beurré sous l'effet de l'excitation, de la chaleur et de l'alcool, givré à un point inimaginable mais c'était sans importance, je restais très maître de moi et de mes gestes et je savais qu'il n'y avait pas de risque de pépin.

L'opération se déroulait presque automatiquement. Je n'avais qu'à guider la lance, en l'appliquant fermement dans le fond du trou, tout en lui imprimant un léger mouvement de va-et-vient et de rotation pour faciliter l'évacuation de ce que l'on appelle en terme de métier, le « laitier ». Autrement dit, les matières qui se forment à la surface du métal en fusion.

J'agissais en robot, ne pensant plus à rien, l'esprit vide, libre, léger, léger comme une bulle de savon. Jamais dans le temps, je n'avais éprouvé une impression semblable. J'aurais été drogué que ça ne se serait sans doute pas passé autrement.

Impossible de préciser le temps qui put s'écouler jusqu'au moment où ma lance fut consumée. Plus de la moitié du travail était, en tout cas, effectuée.

— Lance! j'intimai à Michael qui savait ce qu'il avait à faire.

Il me présenta la lance de rechange que j'amorçai,

cette fois, sur les oxydes brûlants restés tout au fond de la déchirure de métal.

Je poursuivis l'opération.

Maintenant, je me sentais à l'aise dans ma peau. Avec l'image de Deirdre en tête, son parfum dans mes narines et mon sexe tendu vers le sien. Son beau fauve doré que je m'efforçais d'imaginer par-delà des kilomètres qui nous séparaient. Où ? Et auprès de qui ?

Un bijou d'or et de cuivre en fusion, lui aussi.

C'est comme ça qu'on trouve le temps moins long pour mener à bien sa besogne.

Et soudain, j'arrivai au bout. L'ouverture était pratiquée, l'accès à l'intérieur du grand coffre, libre. J'arrêtai la combustion et abandonnai la lance à Michael.

Durant une seconde, je fus submergé d'une bouffée d'orgueil et de joie. Je n'avais pas perdu la main J'étais toujours aussi jeune. J'étais immortel.

Toujours ganté d'amiante, j'introduisis une main à travers l'orifice et manœuvrai la fermeture. Lentement, la porte mutilée tourna sur ses gonds. L'intérieur de l'armoire blindée n'avait pas souffert. Son contenu non plus, apparemment.

Tout le haut était occupé par des classeurs et des paquets de lettres, sans intérêt pour moi. Dans le bas, s'alignaient des écrins.

Plus prompt que moi, Michael qui m'avait rejoint, se saisit d'un des coffrets noirs et l'ouvrit, découvrant un collier de perles d'un bel orient. Mais ce n'était pas le moment de se laisser tenter par tout ce qu'on pourrait voir. Je n'étais pas venu ici pour balluchonner.

— Le collier de diamants! criai-je à Michael, uniquement le collier!

Mettre la main sur le reste, c'était se foutre à la merci des fourgues. Courir les plus méchants risques en multipliant les opérations. Avant de quitter Dublin, je leur avais expliqué ça en long et en large à Michael et à son cuisinier.

L'Irlandais laissa tomber les perles et se mit comme moi à ouvrir en vitesse l'un après l'autre tous les écrins. Enfin de sous une pile, nous avons ramené le plus volumineux. Du pouce, j'ai fait jouer la fermeture et de la main rabattu le dessus.

Aussitôt, j'ai été ébloui. Reposant sur de la soie blanche, s'étalaient treize soleils. Les treize diamants jonquille du Brésil de Cynthia Mulcahy. Pour deux cent trente carats, en tout.

— Mère de Miséricorde! s'extasia Michael.

XII

Je secoue Michael qui semble ne pouvoir détacher ses yeux de la sensationnelle parure.

— Allons chercher Janos pour qu'il nous aide à évacuer le matériel. Nous aurons tout le temps d'admirer la pièce de retour chez toi.

Je sors le collier de son écrin, l'enveloppe dans la feuille de papier de soie qui le couvrait et le glisse dans une des poches intérieures de mon poil de chameau que je viens de renfiler. A peine les ai-je contre ma poitrine que ces pierres froides me tiennent chaud au cœur. Un vrai brasero.

Je suis Michael qui est sorti du bureau, projetant le faisceau de sa torche au-devant de ses pieds. En quelques secondes, nous franchissons un court vestibule, le seuil de la pièce encombrée de meubles, déjà traversée, et nous allons atteindre le couloir central, lorsque mon compagnon me retient par le bras, me désignant la porte entrebâillée vers laquelle nous nous dirigions.

— Non, mais il a perdu la tête. Il a tout allumé dans le couloir.

C'est exact. L'entrebâillement de la porte permet

de distinguer une vive clarté que la lumière crue de la torche nous avait jusqu'ici empêché de remarquer.

A pas de loup, je me rapproche de la porte, suivi par Michael, et je glisse un regard dans le couloir central où normalement doit se trouver le Hongrois. Effectivement, il s'y trouve, mais, le dos au mur, flageolant sur ses jambes et les mains levées haut au-dessus de sa tête tandis qu'à une quinzaine de mètres de lui, une énorme négresse en peignoir violet, le front auréolé de bigoudis descend calmement le grand escalier, tout en brandissant une impressionnante pétoire qu'elle braque sur notre associé.

A première vue, la pétoire en question semble n'être qu'une arme de collection, sans doute un pistolet d'arçon datant du déluge. Mais que l'autre s'énerve et appuie sur la détente, et sur un coup de malchance, elle peut tout aussi bien ratatiner le cuisinier.

Avec Michael, qui, à son tour, vient de découvrir le tableau, nous nous consultons du regard et nous n'avons pas besoin d'une parole pour nous comprendre. A tout prix, il faut créer une diversion. Surgir ensemble pour détourner l'attention de la Noire et permettre à Janos s'il possède encore assez de ressort, de bondir sur la grosse et de la désarmer. Ensuite nous aviserons.

Ouvrant toute grande la porte, avec Michael nous nous pointons dans l'embrasure, en même temps. Le résultat est immédiat. C'est sans doute vexant pour notre amour-propre mais la fille de l'oncle Tom que la tenue et le masque de Janos ne semblaient pas avoir impressionnée, pousse soudain un glapissement strident en découvrant nos bonnes têtes, flanque en l'air son arquebuse et, nous tournant le dos, remonte quatre à quatre l'escalier, en tortillant ses grosses fesses.

Il s'agit de profiter de l'effet de surprise.

— Vite, je crie aux deux autres, il faut se tirer.

— Et le matériel? s'enquiert Michael.

— Tant pis. On emporte le principal. Tout de suite, à la voiture.

Encore sous le coup de l'émotion, incapable de prononcer un mot, Janos, s'est détaché du mur, et retrouvant ses jambes, file avec nous vers l'entrée. Au passage, j'avise un appareil téléphonique dont j'arrache les fils puis, en quatre enjambées, rejoint Michael et son cuisinier qui ont déjà atteint le perron.

Les coudes au corps, nous cavalons dans le parc et — c'est encore une chance pour nous — la petite entrée étant la plus proche du bâtiment, nous filons en droite ligne sur elle, foulant le gazon gras, gluant d'humidité.

Lorsque nous arrivons à la porte en bois, je me retourne un instant. Au premier étage du manoir, des fenêtres se sont allumées. La personne de couleur a dû donner l'alerte et la veuve Mulcahy doit être dans tous ses états. On a beau, à son grand âge, ne pas avoir les décisions très rapides, il faut malgré tout s'attendre à ce qu'elle fasse prévenir la police, d'une façon ou d'une autre, dès qu'elle aura jeté un regard dans le bureau de son mari, transformé en chantier.

Mais nous, nous avons déjà rejoint la Ford dont Michael reprend le volant tandis que je m'installe près de lui. Soufflant comme une forge, Janos qui porte toujours son feutre et son bas noir sur le visage, s'est écroulé sur la banquette arrière.

Moi qui ne suis pas habitué à piquer des cents mètres, j'ai l'impression d'avoir le cœur dans la bouche. J'aurais voulu me payer un infarctus, je ne m'y serais pas pris autrement.

De nous trois, c'est Michael le plus frais. Il démarre, manœuvre devant le grand portail de fer et engage le véhicule à toute allure dans le chemin bordé de sapins. Comme le ciel s'est couvert, on ne distingue pratiquement plus rien autour de nous.

Au passage, à la lueur des phares, je repère, toutefois, les ruines du monastère et le bord des deux étangs. Adios, Glendalough! Et au plaisir de ne jamais te revoir...

Trop occupés à retrouver une respiration normale, nous n'avons pas échangé une parole depuis que la Ford roule. J'ai voulu boire une petite gorgée de whiskey pour me redonner du nerf mais j'ai trouvé la gourde vidée jusqu'à sa dernière goutte.

Tant pis, j'attendrai qu'on soit de retour à Dublin pour fêter le succès. Car, en dépit de tout, c'est ça que je me répète dans ma tête sans arrêt. Nous avons enlevé le morceau. Et, à moins d'une pestouille pourrie sur nous, nous sommes gagnants sur toute la ligne.

Je devrais chanter mais je n'ai pas la gorge disposée aux effets de voix.

Michael qui, comme tous les Irlandais, est assez porté sur la ballade et la complainte, la boucle pourtant hermétiquement. Peut-être, ça le remue-t-il intérieurement d'être devenu voleur, cette nuit?

Il finit pourtant par sortir de son mutisme pour s'adresser au Hongrois.

— Mais enfin, Janos, nous direz-vous ce qui s'est passé?

Seul un ronflement sonore lui répond. Le cuistot s'est endormi.

Michael hennit une sorte de ricanement.

— Tu veux connaître ma pensée, François? L'idiot devait avoir une bouteille de poche sur lui et a dû finir de se saouler comme un porc pendant qu'on travaillait. Dieu sait quelle stupidité, il aura ensuite commise? Dans cette maison, il devait toujours se croire un peu chez lui.

— Probable.

— De toute façon, ça ne change rien au résultat. Et la grosse Noire n'aura pas pu le reconnaître avec son accoutrement...

Michael éclate de rire. Un rire un peu forcé qui trahit sa nervosité.

— Regarde-moi ce damné fou qui s'est endormi sans même ôter ce sacré bas de femme...

— Il lui rappelle peut-être quelqu'un.

— Possible. Dis-moi, parrain, tu peux être fier de moi, non?

— Sûr. Tu t'es bien conduit.

— Pas seulement ça. Mais je peux te le jurer, pas une seconde, je n'ai eu peur.

— Tu as eu bien de la chance.

— Ah parce que toi... fait-il, décontenancé.

— Moi, j'ai passé par des minutes de trouille noire, si tu veux le savoir.

— Curieux.

— Non, pas curieux, normal. Il n'y a que les débutants pour ne pas avoir les jetons. Ensuite...

— Et moi qui te voyais si calme, qui admirais ta maîtrise de toi.

— Et alors?

— Tu penses à quoi lorsque tu as peur?

— A autre chose.

Il se passe un temps de silence, seulement troublé par les barrissements de l'autre, puis Michael reprend.

— François, siffle un peu, veux-tu?

— Pourquoi siffler?

— Pour faire mettre une sourdine à Janos. Je ne peux pas supporter d'entendre quelqu'un ronfler près de moi et je n'ai jamais su très bien siffler.

Toujours complaisant, je commence à attaquer les premières mesures de l'ouverture de « Poètes et paysans ». Mais je n'ai pas le temps de continuer longtemps.

Derrière nous, Janos a cessé de ronfler presque immédiatement. Il s'est même réveillé. C'est pour se pencher vers moi et me planter le canon d'un gros calibre dans le trou de l'oreille droite.

Agacé, je le rabroue.

— Si c'est une façon à vous de plaisanter, je ne trouve pas ça très drôle, Janos. Et je croyais vous avoir bien recommandé de n'emporter aucune arme sur vous.

— Arrêtez ce jeu, vous êtes tout simplement stupide, renchérit Michael. Nous n'apprécions pas du tout.

Mais l'autre, toujours sans un mot, lui tape de sa main libre sur l'épaule pour lui faire signe de stopper.

— Vous désirez vous arrêter un instant, sans doute? interroge Michael.

L'autre pousse un vague grognement d'acquiescement.

— Vous ne pouviez pas le dire tout de suite, sans vous livrer à ce comportement ridicule? Moi aussi, d'ailleurs, je descendrais volontiers.

Je ne peux qu'approuver.

— Le fait est que...

Le fait est que, outre l'alcool ingurgité, le genre d'exercice auquel nous venons de nous livrer exerce une sérieuse influence sur la vessie. Sans plus prêter attention à Janos qui doit être encore méchamment cuit pour se conduire ainsi, nous quittons la Ford pour gagner le bord de la route.

Nous sommes sur le plateau désert et sauvage que bordent d'un côté des champs de bruyères, de l'autre des tourbières. Le vent souffle par bourrasques, faisant s'envoler le feutre de Janos qui ne paraît pas s'en soucier.

Alors qu'avec Michael, nous nous préparons à pisser, chacun de notre côté, le Hongrois, braquant toujours sur nous son arme, un automatique de belle taille, nous invite d'un geste à nous rapprocher l'un de l'autre.

Cette fois, ses intentions m'apparaissent précises et elles ne sont pas spécialement réjouissantes. A mon avis, cet enfoiré a tout bonnement décidé de nous liquider sur le bord du chemin, Michael et moi.

L'Irlandais, de son côté, doit penser juste comme moi car il tente de parlementer.

— Janos, vous n'allez pas faire de bêtises, n'est-ce pas? Dans votre situation d'étranger, ce ne serait pas recommandé. Vous avez peut-être un tout petit peu trop bu, ce n'est pas grave. Vous êtes énervé, nous aussi.

L'autre ne répond rien.

Michael se racle la gorge avant de continuer.

— Vous estimez avoir droit à une part plus importante? Pourquoi ne pas discuter sans se fâcher? Disons combien? Mais avancez donc un chiffre, Janos, cher vieil ami...

Le cher vieil ami, l'enviandé de merde, se borne à éclater d'un rire strident, convulsif, dingue.

— Parrain, me lance Michael, remettez-lui le collier et qu'on en finisse. Mais je vous dis très franchement que, désormais, je me méfierai des Hongrois, Janos. Certes...

Je plonge déjà la main dans la poche intérieure gauche de mon pardessus, où la rivière de diamants, dans son papier de soie, repose contre mon cœur. Mais je ne perds pas de l'œil l'autre pourriture dont l'index droit semble s'impatienter sur la détente de son arme. Je suis persuadé qu'il va nous abattre Michael et moi avant même que j'ai eu le temps de jeter le collier à ses pieds.

Mais tout à coup, c'est le miracle — ou presque. Un puissant ronflement de moteur rompt le silence tandis qu'un phare balaie la nuit. Le phare d'une moto qui vient de surgir du virage après lequel nous avons arrêté la Ford.

Aveuglé par la lumière brutale, je ne distingue rien du conducteur de l'engin qui a brusquement ralenti, en arrivant à notre hauteur.

A côté de la voiture de Michael, la moto s'immobilise. Juste le temps pour celui qui la chevauche de vider sur Janos le contenu d'un chargeur puis, remettant les gaz, de se refondre dans la nuit.

Avec Michael, nous nous sommes précipités sur le Hongrois qui s'est écroulé, en virevoltant sur lui-même. Sa main, toujours gantée de caoutchouc rose, continue à serrer durement le pistolet. Mais l'ordure ne risque plus de toucher à un cheveu de nos têtes. Il a eu son compte et plus que son compte.

La poitrine inondée de sang, il gît sur le dos, les bras en croix. Je me détourne de cette lope pour ne pas céder à l'envie de lui cracher à la gueule. Et parce que j'ai de plus en plus envie de pisser.

Mais Michael, lui, s'est penché sur son ancien cuistot et, poussé par quelque curiosité morbide, relève lentement le bas nylon noir qui lui masque le visage. Et, tout à coup, le mari de ma filleule lâche un cri de surprise :

— Dieu du Ciel! Mais ce n'est pas Janos!

Je me retourne et me rapproche.

Un seul regard suffit à m'enlever le moindre doute. Le type qui est étendu là, mort, à nos pieds, n'a rien à voir avec le Hongrois. Comme ses traits sont déformés par une horrible grimace, il est difficile de se faire une idée de la tête qu'il pouvait avoir de son vivant. Mais Michael fixe la face de l'homme, avec une telle insistance, que je commence à me demander si c'est vraiment un inconnu pour lui.

— Tu sais qui c'est? lui dis-je.

— Oui. Je n'ai jamais eu l'occasion de lui parler mais je le connaissais de vue... et de réputation. Il était arrivé de Cork, il y a cinq ou six mois de ça. Il avait eu, paraît-il, une sale histoire là-bas. Toujours d'après les on-dit, ce serait Sean Walsh qui l'aurait tiré des pattes de la police. A Dublin, personne ne savait exactement ce qu'il faisait. Au fait, il passait pour avoir couché un certain temps avec Deirdre Olohan.

Et tout à coup, je découvre avec surprise que moi aussi, je le connais ce malfrat. C'est tout simplement le type en manteau et chapeau de cuir qui, à mon arrivée à l'aéroport, m'a emmené faire une promenade en voiture, en compagnie de son pote le gros lard à tronche de dogue.

XIII

— Seigneur! reprit Kavannagh, mais puisque ce n'est pas Janos, où l'autre peut-il bien être?

— Puta Madone! Qu'est-ce qui a bien pu se passer pendant qu'on était au travail. Et qu'est-ce qu'il a pu devenir, ton cuisinier de malheur?

— Celui-là l'a peut-être tué?

— Tué? Ouais, ce serait encore ce qui pourrait nous arriver de mieux, à toi comme à moi. Mais s'il n'est que blessé? L'autre n'aura pas eu le temps de le transporter bien loin du manoir. Inévitablement lorsque la police se ramènera là-bas, on va lui tomber dessus. Et alors... aïe, aïe, aïe! Ah, tout ça est de ma faute.

— Ta faute?

Je regardai Michael droit dans les yeux, avec une rage rentrée à me faire péter les veines du front.

— Oui, ma faute. Parce que, à mon âge, avec mon expérience, on ne s'embarque pas sur un coup avec des caves comme si on allait aux figues.

— Sorry, murmura Michael, sorry, cher vieux François.

Il avait l'air tellement navré qu'il finit par me faire de la peine.

— Oh, ça va, je lui dis, n'en parlons plus. Admettons que j'ai fait tout ça pour Nathalie. Et maintenant, vite, effaçons les traces.

— Quelles traces?

— Le chapeau et le ciré qui appartiennent à Janos. Au cas où celui-là ne serait pas retrouvé, inutile que les poulets puissent parvenir à l'identifier avec ses fringues.

— Mais comment veux-tu?

— Avec les poulets, on ne sait jamais. Allez, aide-moi. Récupère le feutre, moi, je me charge de l'imper.

Il s'éloigna sur le chemin tandis que je commençai la besogne peu ragoûtante consistant à débarrasser le cadavre du ciré gluant de sang. J'avais toujours une barre de colère au niveau de l'estomac et ce qui me rendait encore plus furieux c'était de penser que ce pédé que j'étais en train de déshabiller, avait tenu Deirdre entre ses bras, qu'il lui avait mordu les seins, bouffé la bouche et fait sourire les cuisses. De quoi piquer une crise...

— Voilà, lança Michael, de retour près de moi, j'ai retrouvé le chapeau.

— Bon, j'ai terminé.

Je finis d'arracher le ciré noir des bras ballants du type, le roulai en boule autour du feutre et revint m'asseoir dans la Ford en même temps que Michael. Une seconde plus tard, nous repartions.

— Nous allons rentrer à Dublin en prenant la route qui longe la mer, me signifia mon compagnon, entre Bray et Dun Laoghaire, il y a des falaises du haut desquelles nous pourrons jeter le paquet à la mer.

— O. K.

Michael alluma une Carroll's n° 1, en tira deux bouffées puis reprit.

— Je me demande qui a bien pu arriver à point pour nous tirer de là?

— Quelqu'un qui savait tirer correctement, en tout cas.

— La main de Dieu a guidé la sienne.

— Quelqu'un qui ne paraissait pas tenir à se faire connaître de nous, à coup sûr, poursuivis-je.

— Je n'ai rien pu voir de lui. Et toi?

— Moi non plus. Le phare, la nuit... rien de rien.

— Quelqu'un qui nous suivait, fatalement.

— Ça me semble évident.

— Et qui est peut-être au courant de tout?

— C'est dans l'ordre des choses possibles.

Le visage de Michael avait pris une teinte terreuse. Visiblement, il crevait de peur.

— Du sang, du sang, murmura-t-il, en Irlande, la police ne rigole pas avec les histoires où il y a un cadavre.

— Ailleurs, non plus. Mais, dis-moi, Michael, ton ami Walsh me paraît être un peu expéditif, non? Parce qu'il s'en est, après tout, fallu d'un rien que ce sang soit le nôtre.

— Walsh? Mais ce n'est certainement pas lui qui a pu ordonner à ce type de nous descendre.

— C'est de toute façon lui qui fait surveiller ta maison. J'en ai eu la preuve ce midi. Et que l'autre voyou ait pu prendre la relève du bouledogue et nous filer le train depuis chez toi jusqu'à Glendalough, me semble évident.

— Je ne me suis aperçu de rien.

— On ne se méfiait pas. Et nous avions tous bu peut-être un fond de verre de trop. Peu importe, ça c'est le passé. Maintenant, tu vas être très franc avec moi, Michael. Avec la tournure que prennent les choses, c'est une nécessité absolue si nous tenons à nous sortir du merdier. Quels sont au juste tes rapports avec Walsh?

— J'aurais mieux fait de te le dire tout de suite. Je lui dois de l'argent.

— Beaucoup?

— Oui. Des histoires de courses... et des prêts à des taux... qui te feraient bondir. Il s'est montré longtemps patient, accommodant, c'est dans ses méthodes.

— Et maintenant il te prend à la gorge?

— Il y a de ça. Qu'il ait pu me faire surveiller pour chercher à m'intimider, oui, mais de là à m'expédier un tueur...

Je ne répondis pas.

D'ailleurs d'un geste, il venait de me faire comprendre que nous allions faire un arrêt.

La Ford s'immobilisa tout au bout d'un sentier boueux. Nous descendîmes pour nous diriger vers le bord de la falaise. Il faisait nuit noire et on ne distinguait rien à trois pas devant soi. Dominant les rafales de vent, le vacarme des vagues contre les rochers, en contrebas, montait jusqu'à nous. Je tenais sous mon bras le paquet composé du ciré et du feutre. Lorsque nous sommes arrivés à l'extrême limite de la terre ferme, me retenant d'une main au bras de Michael, je me suis penché vers le gouffre et j'ai balancé dans le vide les frusques de Janos.

Puis nous sommes revenus vers la voiture.

Vingt minutes plus tard, nous arrivions devant la pizzeria. Peu de temps après, nous nous retrouvions, tous les deux, dans l'appartement du premier, en train de nous réconforter devant une bouteille de whiskey.

La parure de diamants de Cynthia Mulcahy, étalée sur la table, jetait tous ses feux sous la lumière du plafonnier. Tout au fond de moi, je ne pouvais m'empêcher de l'imaginer au cou de Deirdre. L'effet que feraient ces treize merveilles sur la peau de rousse de l'autre merveille. Il n'est pas interdit de rêver. A condition de ne pas s'attarder en route.

— C'est pas tout ça, dis-je, entre deux lampées d'alcool blond, mais ces cailloux, comment les transformer en or? Parce qu'il ne faut pas se faire d'illusions, ces bricoles ça représente un œil, une oreille, un doigt de Nathalie. Sa peau et rien d'autre.

— Avec un petit quelque chose en plus pour nous, tout de même.

— Quant à ça, nous verrons plus tard. Pour l'instant, il faut réaliser ces pierres. Je suppose que tu n'as personne en vue?

Michael esquissa un geste d'impuissance totale.

— Les autres me laisseront bien un délai, fit-il.

— Délai ou pas ça, revient au même ou presque.

— Mais toi, hasarda mon vis-à-vis, avec ton passé, François.

— Mon passé, mon passé, tu m'emmerdes avec mon passé. Je t'ai déjà dit ce qu'il en était. Par-dessus le marché qui veux-tu que je connaisse à Dublin?

— A Dublin peut-être... mais à Paris?

Je devins songeur.

— A Paris... à Paris... évidemment à Paris, j'ai encore conservé quelques petites relations utiles parmi mes anciens amis. Le chef de cabinet d'un ministre... quelqu'un d'important, rue Barbet-de-Jouy...

— Rue Barbet-de-Jouy?

— A l'Archevêché, si tu préfères. Mme Reine, également, serait susceptible de s'intéresser à la chose.

— Mme Reine?

— La plus grande entremetteuse de l'hémisphère occidental.

— Ah, fit Michael, impressionné.

— Oui, coupai-je sèchement, mais il faut voir la situation en face. Du jour au lendemain, ces pierres vont devenir plus brûlantes qu'une coulée de lave volcanique. Attends de lire les journaux. Les aéroports, les gares maritimes vont être passés au peigne fin, soumis à une surveillance draconienne. Dra-co-nienne! Interpol sur les dents. Alors? Qui les exportera tes colifichets? Et comment?

Michael n'eut pas à me répondre. Au même instant, la sonnerie du téléphone venait de retentir. Il alla décrocher et, tout de suite, laissa échapper un soupir de soulagement.

— Ah, c'est vous, Janos... Où êtes-vous?... mais oui, tout de suite... très bien, Janos, très, très bien... Vite, alors.

Il reposa le combiné sur sa fourche, en me lançant :

— C'est Janos.

— Figure-toi que je m'en serais douté.

— Il arrive. Il va nous expliquer.

Il se tapa une jolie rasade de whiskey et, sortant le nez de son verre, observa :

— Eh bien, je respire mieux.

J'estimai hasardeux de pouvoir en dire autant tant qu'on aurait pas entendu l'autre oiseau.

Dix minutes ne s'étaient pas écoulées qu'il se pointait. Pour tout dire, il n'avait pas l'air très flambard. La mine défaite, pâle comme un linge, son costume gris couvert de plaques de boue et de taches d'herbe écrasée, il se laissa choir entre les bras d'un fauteuil et ne prononça pas un mot avant d'avoir vidé le verre que Michael lui avait tendu. Tandis qu'il buvait, son patron le mettait d'ailleurs au courant des petits incidents de route qui s'étaient produits. Quand il en eut terminé, il s'enquit :

— Alors, Janos, et vous?

L'autre hocha la tête avec accablement.

— Oh, c'est très simple. Je me trouvais dans le couloir d'entrée lorsque, tout à coup, j'ai vu surgir un inconnu armé d'un pistolet qu'il m'a planté sur le ventre. Ah, si encore j'avais eu de quoi me défendre... mais M. Guiol avait bien recommandé... pas d'arme... alors, n'est-ce pas...

— Oui. Ensuite?

— Le type a voulu savoir ce que nous étions en train de faire dans le manoir... j'ai été bien forcé de le lui dire... puis il a exigé que j'ôte mon chapeau et le bas qui me servait de masque et que je retire mon ciré... enfin, il m'a poussé devant lui, nous sommes sortis dans le parc, nous avons marché jusqu'au mur de clôture et là, il m'a assommé avec la crosse de son pistolet... c'est tout ce que je peux dire... je me suis évanoui et je ne sais pas combien de temps j'ai pu rester comme ça...

— Mais comment êtes-vous revenu à Dublin ?

— Lorsque j'ai repris conscience, je me suis éloigné du manoir le plus vite possible... j'ai marché un bon bout de temps et j'ai fini par rencontrer un laitier...

— Un laitier ?

— Un laitier en camionnette qui a consenti à me prendre avec lui. Comme il se rendait à Dublin, il m'a déposé en arrivant... voilà...

Il achevait son histoire lorsque, brusquement, un tout petit détail attira mon attention. Sur l'épaule gauche de son veston gris s'étalait un long cheveu blond.

Un cheveu blond très particulier.

Je sais bien que des blondes, il en existe à la pelle surtout dans ce pays mais, sans trop vouloir m'avancer, j'étais en train de découvrir une ressemblance étonnante entre la teinte de ce cheveu et celle de la toison de Nathalie.

XIV

C'est Kathleen, la petite serveuse blonde, qui me réveille, en m'apportant un plateau chargé de pots de confiture et de beurre, d'une pile de toasts, d'une assiette d'œufs pochés et d'un bol de café fumant.

Je m'étire dans le lit, en grommelant.

— Mais quelle heure est-il ?

— Cinq heures de l'après-midi, sir.

Pute borgne ! Ce que j'ai pu dormir. Il est vrai que j'en avais besoin. Et comment.

Mais j'ai bien récupéré, c'est le principal. Je me sens frais comme un gardon et le cerveau libre de toute vapeur d'alcool. Je me cale sur mes oreillers pour attaquer le breakfast. J'ai une faim d'ogre.

— M. Kavannagh m'a chargé de vous dire qu'il vous attendait au premier dès que vous seriez levé.

— Il va bien ?

— Parfaitement bien, sir.

— Voudriez-vous tirer les rideaux ?

Elle s'exécute et par les fenêtres, je peux constater que dehors, il fait presque nuit déjà.

— Il pleut ?

— Non, Sir. Il a même fait très beau toute la journée.

— Ravi de l'apprendre, dis-je, la bouche pleine.

L'autre me gratifie d'un gentil petit salut puis s'esquive, en tortillant des hanches.

Je suppose qu'à cette heure, les journaux du soir ont dû sortir et j'ai trop hâte de savoir comment mûrit la situation pour m'attarder longtemps entre les toiles.

A grandes dents, je liquide le contenu intégral du plateau puis file dans la salle de bains.

Vingt minutes plus tard, ayant revêtu mon prince-de-galles, je me pointe dans le living où comme je le pensais, je trouve Michael assis devant la grande table sur laquelle est étalée une feuille portant un énorme titre en gras : l'*Evening Herald.*

— Alors?

— Alors, fait Michael qui me paraît plutôt sombre, tu lis toi-même ou je te résume?

— Résume.

Il cueille une Carroll's n° 1 dans un coffret, l'allume à son Ronson Electronic et commence :

— Évidemment, il n'est question que de nous dans le journal.

— De nous?

— Enfin de ce qui nous concerne. A Glendalough, c'est Thomas le chauffeur qui a fini par aller alerter la Garda Siochana et, bien sûr, la veuve Mulcahy est dans tous ses états. D'ailleurs regarde.

Il me tend l'*Evening Herald* qui offre, en première page, une photo de la richissime antiquité versant des larmes grosses comme le poing dans un mouchoir de dentelle.

— Le plus drôle dans l'histoire, c'est le témoignage de la femme de chambre noire. Elle doit avoir sérieusement besoin de lunettes car elle a pris le type qui s'était masqué avec le bas de Janos, pour un de ses frères de couleur. Quant à nous, elle nous décrit sous les traits des deux épouvantails ce qui laisserait à penser que nous ne lui avons pas fait bonne impression.

— Aucun détail, aucun indice?

— Aucun présentant quelque danger pour nous. Reste le cadavre de l'autre salaud, qui, bien entendu, a été découvert très tôt ce matin par des paysans allant travailler aux tourbières. Son nom est Seamus Kevin, et il a été plusieurs fois condamné. Le fait de l'avoir trouvé ganté de caoutchouc a tout de suite fait penser aux flics qu'il s'agissait d'un des casseurs de Glendalough. Pour l'instant, selon la thèse officielle, il aurait été abattu par ses complices au cours de la nuit. La négresse doit d'ailleurs aller tenter de l'identifier.

— Sois en certain, elle le reconnaîtra. Eh bien, tout ça me paraît excellent pour nous, Michael.

— Oui, sans doute, admet celui-ci, sans conviction.

— Tu n'as pas l'air en forme, toi.

— Si. Mais j'attends avec inquiétude le moment où le motard qui nous a sauvé la vie, va se manifester. Notre reconnaissance à son égard risque de nous coûter cher.

— On verra.

— Autre chose, poursuit Michael, j'ai bien réfléchi à la façon dont je vais devoir m'y prendre, cette nuit, avec les ravisseurs de Nathalie. Ça m'apparaît de plus en plus délicat de leur proposer une tractation et des délais, en leur parlant de diamants à négocier. Immédiatement, ils vont comprendre et nous serons à leur merci. Non seulement, ils vont exiger le tout avant de libérer Nathalie, si jamais ils la libèrent mais ils peuvent aussi bien nous dénoncer à la police.

— J'y avais pensé.

— Alors quoi?

— Je cherche un biais possible... je cherche... ça n'est pas simple. Au fait, où est Janos?

— En bas, à la cuisine. Tu veux le voir?

— Pas pour le moment. Et le collier?

— Comme nous l'avions décidé la nuit dernière, je l'ai caché dans la cave. Un endroit tout ce qu'il y a de sûr.

— Le Hongrois est au courant?

— Non. Pourquoi? Tu n'as pas confiance en lui?

— Je ne sais pas.

— Mais songes-y, François. Sans lui, nous en serions encore à nous demander où trouver l'argent de la rançon.

— J'y songe.

— Un rien de whiskey?

— D'accord.

Et comme mon verre à peine vidé, je me lève, Michael m'interroge :

— Tu sors?

— Je vais faire un tour.

— Je t'accompagne?

— Ça n'est pas utile. Excuse-moi, Michael, mais j'aime autant être seul. J'ai à réfléchir à des tas de trucs.

Ce que je m'abstiens de lui préciser, c'est que sitôt l'ayant quitté, je vais me précipiter chez Deirdre.

J'attrape au vol un taxi à numéro d'appel « 66666 » et je me fais conduire tout droit Marlborough street.

Deirdre s'y trouve certainement puisque hier, en nous séparant, elle a été d'accord pour que je revienne la voir aujourd'hui, dans l'après-midi. J'espère qu'elle va m'accueillir dans la même tenue que la veille et j'en éprouve déjà des démangeaisons au bout des doigts.

Je tire le pied de biche mais aucune voix ne me crie d'entrer. En revanche, au bout de quelques secondes, la porte s'ouvre et Deirdre paraît. Mais une Deirdre en pantalon-pyjama vert épinard et col roulé de laine, ardoise. Elle paraît contente de me revoir mais sans plus. L'expression de son visage est surtout celle d'une profonde lassitude. Ses grands yeux sont terriblement cernés, sa bouche de dévorante un peu crispée et, de surcroît, elle porte à la joue gauche cinq longues estafilades que la couche de fard ocre ne parvient pas à dissimuler tout à fait.

Je vais pour la serrer contre moi et l'embrasser mais d'un regard, elle sait me faire comprendre qu'elle n'est pas seule. D'ailleurs, je n'ai qu'à pénétrer dans l'atelier pour en avoir la preuve.

Vautré dans un fauteuil, se trouve un homme de mon âge, assez corpulent, sanguin, chauve et borgne, en train de téter un havane format barreau de chaise. Le type est vêtu d'un complet à carreaux beiges et bordeaux, bien coupé et de style jeune qui ne fait que le rendre encore plus vulgaire.

Et au premier coup d'œil, j'aperçois posé sur le piano à queue, à côté d'un cormoran empaillé, un feutre à bord roulé qui ne m'est pas tout à fait inconnu.

Aussi, n'ai-je aucune surprise lorsque j'entends Deirdre prononcer le nom de Sean Walsh.

— Ah, fait l'autre, en me dévisageant de son œil en

bouton de bottine, dur et fouineur, vous voici donc monsieur Guiol. Je suis ravi de vous rencontrer. Je peux dire que je vous connais déjà... par personnes interposées. Mais rien ne vaut les contacts directs et j'étais très désireux de vous parler personnellement, cher monsieur Guiol.

Je me suis assis en face de lui tandis que Deirdre s'installait sur un énorme pouf de cuir, après nous avoir servi à boire. Je note, au passage, qu'il y a sur une petite table basse, un exemplaire d'un autre journal du soir, l'*Evening Press*, qui, lui aussi, comporte une première page riche en titres tape-à-l'œil.

Walsh savoure une bouffée de son cigare puis attaque, sans préambule.

— Monsieur Guiol, je suis charmé chaque fois que je peux constater que notre beau pays attire des visiteurs étrangers mais je le suis un peu moins lorsque, sous prétexte de tourisme, de chasse ou de pêche, quelqu'un débarque à Dublin dans l'intention précise de me supprimer.

Il a lâché ça très calmement, avec un air très satisfait de lui-même.

Je riposte aussitôt.

— Je suppose que c'est moi qui dois m'estimer visé?

— On ne peut rien vous cacher.

— Je pourrais maintenant peut-être apprendre les raisons qui vous poussent à penser et à proférer ce genre de conneries, cher monsieur Walsh?

Il plante entre ses grosses lèvres son barreau de chaise, croise et décroise ses doigts boudinés, chargés de bagues.

— Facile. D'une part, votre ami Michael Kavannagh

bénira le jour où je disparaîtrai de cette terre. Mais comme il n'a lui-même pas le courage de venir en aide au destin et qu'il ne trouverait personne ici qui accepte de lui rendre ce service, il a bien fallu qu'il fasse appel à de la main-d'œuvre étrangère. D'autre part, monsieur Guiol, je suis plus renseigné que vous ne l'imaginez à votre sujet. Vous vivez à Cannes, n'est-ce pas? Et je me fais un honneur de posséder des amis sûrs et fidèles partout où il y a un champ de course ou un casino, en Europe occidentale.

— Et alors?

— Eh bien, j'ai pu apprendre très rapidement, grâce à mes relations que vous pouviez vous enorgueillir d'un assez joli passé de tueur, cher ami.

— Moi un tueur? Vous êtes cinglé ou ce sont vos amis qui se sont foutus de vous.

— A la retraite, ont-ils précisé, à la retraite... mais, en définitive, ça ne change rien à l'affaire.

— Ni à la retraite ni en activité. Si, partant sur ces renseignements vous avez les foies en vous imaginant que je veux vous liquider, vous pouvez dormir sur vos deux oreilles, Walsh.

— Hélas non. Et ce n'est pas la lecture des journaux de ce soir qui est faite pour me rassurer.

— C'est-à-dire?

— Ce que j'y ai appris m'a fait déplorer la perte d'un excellent garçon de mes amis, Seamus Kevin. Mais son nom ne vous dit peut-être rien?

— Absolument rien.

— Eh bien, disons que vous n'aurez pas attendu longtemps pour y faire vos preuves, François Guiol.

Voilà qu'il m'attribue l'exécution de ce Kevin. Je

me demande quel est le super connard qui a pu me faire passer pour un flingueur auprès de Walsh. Un de ses amis de la Côte d'Azur, sans doute, qui lui aura raconté n'importe quoi au téléphone pour se débarrasser de lui.

Je comprends pourquoi je devinais une faille sous son assurance. En fait, ce malfrat de seconde zone crève de peur, persuadé que j'en veux à sa petite santé. Maintenant que je le vois bien en face, il m'apparaît comme la minable crapule accrochée à des combines encore plus minables. Une certaine surface peut-être qui peut faire illusion dans cette ville, mais rien dessous.

Seulement ce sont les plus minables qui deviennent les plus dangereux dès qu'ils commencent à avoir les chocottes. Aussi, je ne me fais aucune illusion. Ce borgne dans la mesure où il se juge en danger de mort, peut m'attirer une foule d'emmerdes.

— Encore une fois, je lance, en m'efforçant de me dominer, je vous répète que je ne suis pas le genre de type que vous vous imaginez. Et je ne suis pour rien dans le meurtre dont parle ce journal.

— Je présume, en ce cas, que vous pourriez justifier de l'emploi du temps de votre nuit si la police vous le demandait?

— Cette nuit, je dormais.

— Vraiment? Notez que je n'ai nulle intention de me montrer bavard avec la Garda Siochana. Ce n'est pas dans mon style. Mais je doute fortement que vous ayez passé la première partie de la nuit chez votre ami Kavannagh.

— Vous avez en effet raison, intervient alors Deirdre, puisque c'est ici que M. Guiol se trouvait.

J'ai du mal à cacher ma surprise. Que je sois sympathique et même un peu plus que ça, à cette splendeur de rousse, je veux bien. Mais qu'elle vienne se compromettre dans une affaire qui ne sent pas bon, par pure obligeance, c'est autre chose. Je suis sceptique. Et j'en viens à me demander si, tout en me fournissant un alibi flatteur, elle ne cherche pas à s'en procurer un à elle-même.

— Tiens, tiens, tiens, fait Walsh, en plissant son unique prunelle. Eh bien, mes félicitations, monsieur Guiol. N'être arrivé à Dublin que depuis quarante-huit heures et avoir déjà su conquérir les faveurs d'une des plus jolies filles de la ville... bravo.

— Comment une des plus jolies filles ? proteste Deirdre avec hauteur.

— Pardonnez-moi. Avec la plus jolie fille de Dublin, voulais-je dire. Ah, ces Français, toujours la côte auprès des femmes. Cela dit, comme je ne tiens pas à subir le même sort que cet infortuné Seamus Kevin, afin de vous éviter une maladresse, je crois de mon devoir de vous avertir, cher monsieur Guiol, que toutes mes précautions ont été prises afin que la police sache à quelle porte frapper si jamais il m'arrivait malheur ... malheur ou même le moindre petit ennui... une simple égratignure...

Là, je ne parviens plus à me contenir. Bondissant de mon fauteuil, je saute sur le book que j'agrippe à deux mains par les revers de son beau veston à carreaux, en lui mâchant dans le nez :

— Une égratignure, peut-être pas. Mais continue comme ça et tu prends mon poing sur la gueule, ordure !

De rougeaud, le teint de Walsh tourne au violacé. Il halète et son œil s'exorbite.

— Attention, Guiol... faites très attention à vos gestes, bredouille l'homme.

— Attention à rien du tout. Les types comme toi, je les vomis. Et je regrette de n'être pas le tueur que tu penses car tu ne peux pas savoir le plaisir que j'éprouverais à te faire ton affaire. Les maîtres chanteurs, moi, tu sais...

Je suis sur le point de mettre sur le tapis la petite histoire des photos que m'a racontée Deirdre, hier, mais je vois soudain celle-ci qui se trouve hors de vue de Walsh, poser un doigt sur ses lèvres pour m'inviter à me taire.

Je n'insiste pas. Je repousse l'homme en arrière comme si j'écartais un tas d'ordures et je reviens boire un verre pour me calmer tandis que Deirdre m'approuve d'un sourire.

Sean Walsh, lui, récupère son feutre sur le piano, s'incline devant la rousse et file, sans un mot, vers la porte. Toutefois, au moment de la franchir, il se retourne et me lance :

— N'oubliez surtout pas ce que je vous ai dit, monsieur Guiol, et ne manquez pas de rapporter notre conversation à cet excellent Michael Kavannagh.

Puis il disparaît.

Je me retrouve seul avec Deirdre mais l'ambiance n'est pas aux effusions. Elle semble plus préoccupée que jamais et, moi, je me pose trop de questions pour avoir l'esprit libre. Je lance :

— Vous connaissiez ce Seamus Kevin?

— Vaguement.

— Vaguement ou intimement?

Elle se cabre.

— Qui a pu insinuer ça? Oh, inutile de me répondre, je sais. C'est Michael, n'est-ce pas? Et le pire c'est qu'il le croit. Comme il croit dur comme fer tout ce que lui raconte Nathalie. Car c'est elle qui lui a mis dans le crâne que j'étais la maîtresse de ce Kevin...

— Dans quel but?

— Tout simplement pour que ce cher Michael évite de s'interroger sur les rapports qu'elle-même pouvait entretenir avec cet homme.

— Dites-moi si ce que vous me dites est vrai, ça ne cadre pas très bien avec le portrait que vous m'avez fait d'une Nathalie neurasthénique.

— Et pourquoi pas? Un homme peut très bien rendre une femme neurasthénique. Ça dépend de la façon dont il se conduit avec elle et de ce qu'il exige d'elle. Maintenant, François, vous allez m'excuser mais je vais devoir sortir. J'ai un rendez-vous avec un acheteur... et ils ne sont pas si nombreux.

— A propos, Deirdre, ne vous inquiétez plus au sujet de la somme que Walsh vous réclame pour la restitution de vos photos.

Je m'attends à la voir sauter de joie et me bondir au cou mais elle semble plutôt décontenancée.

— Vraiment? François, murmure-t-elle, vraiment?

— J'attends de l'argent de France.

— Je ne sais comment...

— Ne dites rien. Pas aujourd'hui puisque vous êtes si pressée. Demain?

— C'est ça, demain. Je vous promets d'être seule.

Attendez-moi un instant, le temps de me redonner un coup de peigne et de prendre un manteau.

Elle disparaît dans son cabinet de toilette.

J'en profite pour réaliser ce que j'avais l'intention de faire depuis déjà un moment. Je fonce en hypocrite vers la kitchenette et ouvre le placard aux provisions. La boîte de sucre dans laquelle se trouvait hier le pistolet à crosse de nacre est toujours là sur une étagère. Mais l'automatique, lui, a disparu.

XV

Nous nous sommes séparés à la hauteur du O'Connel bridge avec Deirdre, sans que je lui ai dit un mot concernant la disparition du calibre et je regagnai à pied la pizzeria, avec uniquement deux arrêts dans des pubs, où je croisais des gosses, charriant des piles d'*Evening Press* et d'*Evening Herald*, sous le bras, ce qui avait pour effet de me contracter un peu la gorge.

Il bruinait légèrement mais sans plus.

Lorsque j'arrivai dans l'appartement, Michael était en train de parler au téléphone. Il me fit signe d'approcher, tout en lançant dans le micro.

— Justement, il vient de rentrer. Je vous le passe, Solange. Au revoir, je vous embrasse, Solange.

— ... C'est ta femme, ajouta-t-il à mon intention.

— Merci de me l'apprendre.

Je saisis le combiné et portai l'écouteur à mon oreille.

Si, hier, ma panthère était d'humeur légèrement pétardière, ce soir, elle semblait carrément abattue et presque paniquarde. Au seul timbre de sa voix, d'entrée, je ne m'y trompais pas, malgré son agressivité de surface.

— François, tu n'es pas un peu tombé sur la tête?

— Quoi?

— Dis, je lis les journaux.

— Et puis après?

— Dans *France-Soir* de midi, il était un rien question d'un patelin des environs de Dublin... attends que je lise... Glen... dalough... c'est ça... tu connais?

Je sursautai.

— Non, mais c'est toi qui ne va pas bien, Solange? Ménage un peu le téléphone.

— J'aimerais bien qu'on le ménage avec moi.

— C'est-à-dire?

— Qu'on me raconte à ton sujet dans le cornet des choses qui ne me plaisent pas du tout.

— Quoi encore?

— Tu fais le jeune homme à ce qu'il paraît?

— Le jeune homme?

— Oui, le jeune homme, tu me saisis. Que tu te lances dans des aventures qui ne sont plus de ton âge, ça ne regarde que toi mais que, moi, j'en subisse le contrecoup, alors marre...

Elle s'exprimait d'une façon qui ne me plaisait qu'à peine mais, il faut dire, que dans les moments de colère ou d'abattement, chez Solange le vernis craque un peu et qu'en elle, la femme du monde s'oublie.

Malgré tout, je la sentis si inquiète que ça me remua.

— Explique.

— C'est clair, limpide. Quelqu'un — un homme — m'a appelé après le déjeuner pour me mettre, à mots couverts, au courant de tes exploits. Comme j'avais le journal sous le nez, j'ai tout de suite pigé. Seulement le type ne s'en est pas tenu là. Il m'a tout gentiment menacé de faire sauter l'agence et moi avec, si on ne se montrait pas compréhensif avec lui. Tu vois ce que je veux dire.

— Combien?

— Pas fixé de chiffre définitif. Il a dit qu'il attendrait ton retour pour s'entendre avec toi mais qu'il te conseillait de ne pas trop tarder. Pour l'instant, il ne me réclamait à moi que dix briques de provision... il a dit provision, comme un avocat.

— Et tu as répondu quoi?

— Qu'il aille se faire endoffer par les Grecs... mais je ne suis pas tranquille, François. Reviens.

— Pas question pour le moment.

— Ah, je vois, reprit-elle, hargneuse. Après avoir pris de l'exercice, Monsieur entend faire la ribouldingue.

— Oh là là!... la ribouldingue...

Je n'eus pas le temps d'en dire plus, elle avait raccroché.

En quelques mots, je rapportai notre conversation à Michael qui parut effondré.

— Mais qui peut être si bien renseigné? Et d'où l'a-t-on appelée?

— Elle ne me l'a pas précisé. Et ce n'est pas tout...

Jugeant inutile de lui taire plus longtemps mes visites à Deirdre, je ne lui cachais rien de mon entrevue avec Walsh, une heure plus tôt. Avec en conclusion :

— Et maintenant, me voilà passé, soi-disant, tueur à gages... à tes gages, Michael. Le bouquet.

— Tu crois qu'il se doute de quelque chose au sujet du collier?

— Je n'en sais rien. Il n'y a fait aucune allusion.

— Alors c'est qu'il ne se méfie de rien. Parce que tel que je le connais, il n'aurait rien eu de plus pressé que de réclamer une part du gâteau.

— A moins qu'il le fasse par personne interposée.

— C'est-à-dire ?

— Que ce soit lui qui ait téléphoné ou fait téléphoner à Solange.

— Tu es inquiet pour elle ?

— Oui, parce que je la sens, elle-même, inquiète et que ce n'est pas une femme à trembloter pour un oui ou pour un non.

— Tu envisages de repartir.

— Pas avant que nous ayons récupéré Nathalie.

— A propos, à son sujet, il y a du nouveau. Janos a reçu une lettre contenant de nouvelles instructions m'étant destinées.

— Et alors ?

— Le rendez-vous de cette nuit devant l'entrée principale du zoo, au Phoenix Park, est annulé. En revanche, on me demande de me trouver vers dix heures à l'Abbey Tavern, un ballad club très connu, situé à Howth, à quinze kilomètres au nord de Dublin. Je recevrai là, paraît-il, un nouveau message. Tout ça me donne l'impression que ces gens-là ne sont pas très sûrs d'eux et ne savent pas trop comment s'y prendre pour me soutirer l'argent, en prenant un minimum de risques.

— Pas forcément. C'est peut-être tout simplement destiné à te dérouter, toi. C'est classique dans ce genre d'affaire. Ce que je m'explique moins c'est que ces salauds-là choisissent ton cuisinier pour facteur. Totalement illogique.

— Tu sais, les Irlandais et la logique...

— Ouais. Et que comptes-tu faire?

— Aller là-bas naturellement. J'espère que tu m'accompagnes? Nous pourrions partir dès maintenant et dîner sur place. En arrivant très en avance, ça peut nous permettre de repérer quelque chose, on ne sait jamais. Par ailleurs, on y mange d'excellents fruits de mer et les vins sont plus que convenables.

Je voyais bien qu'il parlait de ces détails uniquement pour montrer qu'il tenait le coup mais je le devinais rongé d'anxiété. Il finit par la laisser éclater.

— Tant que nous n'aurons pas négocié ces pierres, observa-t-il sur un ton désespéré, ce collier m'est à peu près aussi utile qu'un pavé. Si seulement j'avais un contact direct avec les autres et que je puisse parvenir à les convaincre de patienter...

— Attends ce soir, tu verras bien. Pour le moment, je vais m'occuper du collier.

Michael retrouva une ombre de sourire.

— Tu as une idée?

— Non. Mais j'espère que d'autres en auront pour moi. Puisque les journaux ont parlé de l'affaire en France, ça me sera plus facile de m'exprimer à demi-mots.

J'allai décrocher le téléphone et demandai un numéro à Paris. C'était celui du ministère où un de mes anciens amis exerçait les fonctions de chef de cabinet.

Manque de chance, je n'obtins qu'un sous-fifre pour apprendre que mon voyou était actuellement en mission aux îles Fidji, avec son ministre.

J'appelai la rue Barbet-de-Jouy. A l'Archevêché, j'eus du mal à joindre au bout du fil mon autre coquin qui semblait être *persona grata*, dans la maison. Depuis notre dernier entretien qui datait de cinq ans, il avait pris un ton onctueux qui ne me plaisait qu'à peine. Et lorsque, en termes voilés, je lui eus exposé mon problème, la vieille frappe émit un petit rire acidulé qui, à distance, m'échauffa les oreilles.

— Hé! hé! mon cher François, je vois qu'on ne s'ennuie pas en Irlande. J'avais toujours entendu dire que c'était un pays fort pittoresque et très attaché à l'Église, ce qui ne gâche rien.

— Abrège Edgard. Mon temps est précieux.

— Tristesse des ambitions humaines. Tu sauras, mon bon ami, que je vis présentement dans un milieu où l'on a toute l'éternité devant soi.

— Possible, pas moi.

— Donne-moi au moins le loisir de réfléchir au cas que tu m'exposes. Dieu m'inspirant, il n'est pas exclu que je puisse te venir en aide.

— Alors, c'est oui?

— Que votre oui soit un oui, que votre non soit un non, a dit l'écclésiaste. Et ce serait pour l'instant m'avancer beaucoup que de te répondre affirmativement.

— Enfin, Edgard...

— Rappelle-moi dans une semaine, veux-tu?

Je bondis.

— Une semaine! Mais c'est le bout du monde. Je ne peux pas t'expliquer ça très bien, mais sache qu'il y a une vie humaine en jeu et la vie d'une personne qui m'est très chère. Non, ce n'est pas ce que tu vas croire. Il s'agit de ma filleule.

— Désolé, mais j'ai dit une semaine et c'est un minimum. D'ici là, je ne pourrai que prier pour cette âme en péril et pour le salut de la tienne par la même occasion. Au fait, si cette affaire a une heureuse issue, envisage un pourcentage de dix pour cent pour mon humble participation. Ce sera pour mes œuvres. Maintenant, excuse-moi mais j'attends un prélat romain à qui je ne peux laisser faire antichambre, plus longtemps. A bientôt, fils, à très, très bientôt.

Écœuré, je laissai tomber le combiné.

— Ça ne va pas? fit Michael.

— Des délais impossibles. Huit jours.

— Mais d'ici là, les autres auront découpé Nathalie en tranches fines.

— Ah, tais-toi. J'ai encore quelqu'un dans la manche.

Mon dernier recours. Madame Reine.

Un cuicuitement d'oiseau des îles dans l'écouteur, bien étrange pour le corps de deux cent quarante livres de graisse d'où il sortait. Mais une vivacité d'esprit comme on en fait peu.

La maquerelle mondaine ne me laissa même pas le temps de parler.

— Ah, tu es à Dublin, fit-elle, eh bien, j'ai compris.

— Compris quoi?

— Figure-toi que je ne lis pas seulement les potins de Carmen Tessier dans *France-Soir*. Et je te connais de longue date, mon François. Alors, on aurait besoin du concours de sa petite Reine?

— Ouais... et vite.

— Avant toute autre chose, je t'avertis que je prends vingt pour cent. Et c'est parce que c'est toi.

— Bon. D'accord. Tu aurais un placement pour mes protégées?

— Ce n'est pas impossible. Mais inutile de te préciser qu'étant donné la publicité qui attend ces chéries, il faudra prévoir un sérieux retaillage de leurs vêtements qui, ici, feraient un peu province. Mais j'ai un ami aux doigts de fée qui s'en chargera. Alors quand m'amènes-tu tes pensionnaires?

— Dans les plus brefs délais. Seulement il y a un os. Ces petites sont de santé très fragiles. Elles redoutent l'avion et ont le mal de mer.

— Tu ne comptes tout de même pas les faire venir jusqu'ici à pied?

— Je cherche quelqu'un pour les accompagner. Elles se sentiraient plus en sécurité.

— Là, mon François, tu me prends de court. J'avais, il y a encore un mois de ça, parmi mes relations un steward d'Air-France qui était un garçon fort sérieux et digne de confiance à qui tu aurais pu confier ces jeunes filles, les yeux fermés. Malheureusement, le pauvre cher a eu des ennuis à New York où il risque de prolonger son séjour assez longtemps. Je regrette. Mais, toute à ta disposition dès que ces charmantes personnes seront à Paris.

Elle me gazouilla quelques baisers puis nous avons raccroché.

— Ça marche? lança Michael.

— Pour la liquidation, oui. Pour le passage, non. A nous de nous débrouiller.

Il fit une grimace puis haussa les épaules.

— On trouvera bien un joint. Pour l'instant, filons à Howth.

Une fois au rez-de-chaussée, je demandai à Michael de passer voir Janos. Nous l'avons trouvé dans la cuisine où il préparait des boulettes de viande crue. Son œil tuméfié virait au jaunâtre et il avait l'air renfrogné.

— Pourrais-je voir la lettre que vous avez reçue ?

— La voici.

Il sortit de la grande poche de son tablier une enveloppe de format commercial décachetée. J'en sortis une feuille de papier machine portant l'avertissement adressé à Michael, composé avec des lettres découpées dans un journal. Telle quelle, elle n'apportait aucun indice nouveau. Je la reposais sur la table lorsque le cuisinier signala.

— Monsieur Kavannagh, un gamin vient à l'instant d'apporter un petit paquet pour vous. Comme je n'avais pas les mains très propres, je lui ai dit de le déposer sur une table, dans le restaurant. J'allais justement envoyer Kathleen vous le monter.

Le paquet en question avait les dimensions d'une boîte de cigares. Du papier bleu l'enveloppait. Michael fit sauter la ficelle et arracha nerveusement l'emballage.

Il s'agissait effectivement d'un coffret de Partagas.

— Qui peut bien m'envoyer des cigares ? murmura le mari de Nathalie.

— Cette boîte a déjà été ouverte. Rien ne prouve qu'elle contienne des cigares.

Michael hésita un instant, avec une ombre de crainte dans le regard. J'eus l'impression qu'il était en train de se demander si le paquet n'allait pas lui exploser à la face dès qu'il y mettrait la main.

Il s'y décida quand même.

Rien ne sauta lorsqu'il rabattit le couvercle. Mais je fus pris d'une soudaine nausée tandis que les yeux de Michael s'exorbitaient.

Sur une couche de coton tachée de sang, reposait une oreille délicate, couleur de cire.

XVI

Brusquement, j'éclate de rire.

— Mais elle est en cire, cette oreille... Rassure-toi, Michael. Tiens, touche-la, prends-la dans tes mains...

Je lui colle entre les doigts la petite oreille en forme de coquillage nacré qui a dû être coupée sur la tête d'un mannequin. Michael ne la manipule qu'avec répulsion et finit par la jeter dans la cheminée où flambent quelques bûches.

Moi, je viens de découvrir coincé dans le coton certainement taché avec de l'encre rouge, un billet que je déplie et lis :

« Attention, Kavannagh, la prochaine fois, cela risque d'être réellement une des oreilles de Nathalie. »

— Des gamineries, je lance pour réconforter Michael, des plaisanteries de carabins...

— Ah tu appelles ça une plaisanterie, toi. On voit qu'il ne s'agit pas de ta femme.

Comme je sens qu'il commence à s'aigrir, je le bouscule un peu.

— Allez, filons. Nous n'avons plus rien à faire ici.

Lorsque nous passons devant l'âtre, il n'y a déjà plus de trace de la reproduction de cire.

Nous embarquons dans la Ford et sortons de Dublin par le faubourg nord. Nous suivons la côte, longeant la mer d'Irlande et très vite, nous nous retrouvons à Howth.

Michael gare la voiture dans une cour proche du bâtiment portant comme enseigne « The Abbey Tavern » et m'explique :

— C'est une ancienne grange qui a été aménagée en restaurant au rez-de-chaussée et en ballad club au premier. Mais celui-ci n'ouvre pas avant huit heures et demie. Allons d'abord manger.

Nous parvenons à nous caser dans une vieille salle où la plupart des tables éclairées à la bougie, sont occupées. Michael commande pour nous deux un énorme plat de moules, de palourdes et de pétoncles que suivra un Irish stew, sorte de ragoût d'agneau aux pommes de terre et aux oignons cuits avec du thym. Pour accompagner le tout, une bouteille de Chevalier-Montrachet nous semble convenable.

Toujours sur l'horrible impression que lui a causé la réception du paquet, mon compagnon ne parle pour ainsi dire pas.

J'ai beau lui répéter deux ou trois fois au cours du repas.

— Ça tire à sa fin, maintenant...

Il ne semble pas très convaincu — pas plus que je ne le suis, à dire vrai, moi-même — et demeure sombre et soucieux. Ce qui ne l'empêche pas malgré tout de dévorer et de faire apporter une seconde bouteille de vin.

Moi, je profite du silence qui règne entre nous pour faire travailler mon cerveau. Sans le plus petit résultat, je dois le reconnaître. Ma seule réaction est de rester sur mes gardes car j'ai le pressentiment qu'on nous réserve un tour de porc. Et je me sens d'autant plus désarmé que j'ai, au fond de moi, l'impression que nous avons affaire à des cinglés. Je veux bien que les Irlandais le soient tous un peu mais il y a des limites.

Le coup de l'oreille ne m'a pas plu du tout. Irlandais ou pas, jamais des voyoux sérieux ne se seraient laissés aller à ce genre de farce de mauvais goût. Et plus je me persuade que ce sont des sinoques qui tirent les ficelles, plus je commence à redouter que Nathalie ait déjà été torturée, violée, mutilée et peut-être liquidée.

Le ragoût d'agneau a du mal à passer lorsque j'imagine ce qui a pu arriver à cette gosse.

Je vois s'achever notre dîner avec soulagement. Nous montons à l'étage où le concert a déjà commencé devant une salle bourrée, enfumée et gueularde.

Nous nous installons au bout d'un des bancs de bois qui servent de sièges et faisons rappliquer une bouteille de whiskey. Autour de nous, les gens battent des mains plus ou moins en cadence et braillent tout ce qu'ils peuvent. Il faut dire que sur l'estrade de planches qui nous fait face cinq musiciens et chanteurs – quatre mâles et une chouette mignonne aux cheveux filasse, tous vêtus de tweed et de cuir – sont en train d'interpréter un morceau qui semble tout droit sorti d'un western.

La fille donne de la voix, une assez jolie voix d'ailleurs, tandis que ses complices travaillent de la flûte, du crin-crin, du tambourin et de l'accordéon. Lequel accordéoniste abandonne par moment son piano à bretelles pour se livrer avec deux cuillers à un solo sensationnel.

Au bout d'un quart d'heure de tintamarre, le groupe s'arrête de jouer pour vider quelques chopes. Puis la fille annonce qu'ils vont exécuter une vieille complainte irlandaise. Elle débarrasse de sa housse une harpe et qui voyons-nous surgir, grimper sur l'estrade et s'emparer de l'instrument? Notre vieille connaissance, Tchin-Tchin O'Hara.

Michael est devenu tout pâle, en le voyant paraître et ses doigts crispés sur son verre, ont les jointures des phalanges qui blanchissent. L'autre, tout à ses cordes, ne semble pas nous avoir repérés.

Il faut lui rendre justice. Ce tas de graisse molle est un virtuose. Et pourtant, je ne raffole pas précisément de la harpe, que je considérais jusqu'ici comme un instrument plutôt redoutable. Mais incontestablement la pédale se défend.

Pourtant au beau milieu du morceau, alors qu'il accompagne, seul, la blonde en train de chanter, il se met tout à coup à cafouiller inexplicablement. Pas si inexplicablement que ça, à vrai dire. Il vient tout simplement de s'apercevoir que Michael et moi étions au nombre de ses admirateurs.

Notre vue paraît lui donner une sérieuse colique et il continue à s'embrouiller les doigts dans ses cordes, sous les regards courroucés des autres.

Heureusement pour lui, la complainte tire à sa fin et quand la fille pousse la dernière note, il délaisse sa harpe pour s'éponger le front. Puis il discute quelques instants avec le flûtiste qui paraît être le chef de la formation et finit par descendre de l'estrade pour se faufiler parmi les tables et les bancs, vers la sortie.

Je me suis levé.

— Où vas-tu? me demande Michael.

— Rejoindre cette tantouze pour qu'on ait ensemble une petite conversation.

— Je t'accompagne.

— Non. N'oublie pas que tu es censé te trouver ici pour recevoir un message.

— Bon. Je reste.

Je fonce à mon tour vers la porte mais lorsque je l'atteins, O'Hara n'est déjà plus dans l'escalier. Je dévale les marches quatre à quatre, traverse en trombe la salle de restaurant et me retrouve dehors pour apercevoir la folle perdue en train de courir à l'autre bout de l'Abbey street.

Je prends mon élan et lui pars aux fesses.

Je n'aurais pas cru que ce tas de saindoux pouvait cavaler aussi vite. Je gagne du terrain mais peu et péniblement et je sens que je ne vais pas tarder à m'essouffler.

Nous sommes sortis de l'agglomération et fonçons dans une obscurité d'encre. Nous devons être très près du rivage car, en même temps que le battement de mon sang à mes tempes, je perçois le bruit des vagues sur ma droite.

Si je ne rattrape pas l'autre dans les secondes qui suivent, il va s'évanouir en fumée dans le décor et je pourrai toujours me bomber pour lui remettre la main dessus.

S'il a de si bonnes raisons que ça pour me fuir, il va s'en trouver d'encore meilleures pour ne plus se pointer dans Dublin, les jours qui vont suivre.

Je cours à me décrocher le cœur, plus vite encore

que je ne l'ai fait, la veille, dans le parc de Cynthia Mulcahy. Mais je n'ai plus mes jambes ni mon souffle de vingt ans et je peine méchamment.

Et soudain, c'est le coup de pot. Devant moi, cette salope de Tchin-Tchin vient de buter sur une pierre, sans doute. Je le vois trébucher, battre l'air de ses bras pour tenter de retrouver son équilibre puis finir par s'étaler dans l'herbe sur le bord du chemin. En un éclair, je suis sur lui.

– Je vous en prie, balbutie-t-il de sa voix de châtré, ne me faites pas de mal... ne me tuez pas...

– Qui parle de tuer ? Je veux te parler, seulement te parler. Allez, dresse-toi sur tes pattes de derrière. Et vite.

Il s'exécute, en tremblotant, fixant mes mains comme s'il s'attendait, d'un instant à l'autre, à voir surgir dans mon poing droit un flingue ou une lame. Quand il constate qu'il ne se passe rien, il reprend un peu du poil de la bête, tout en gardant l'œil inquiet et le double menton crispé par la difficulté qu'il éprouve à avaler sa salive.

– Pourquoi t'es-tu tiré, salope ? je lui lance. C'est ma tête qui te déplaît à ce point ?

– Non... non, bien sûr que non...

– Alors quoi ?

– C'est Michael Kavannagh que je n'avais pas envie de voir.

– Pourquoi ?

– Après l'histoire du foulard de l'autre nuit... je préférais l'éviter. Il est un peu fou et on ne sait jamais quelles peuvent être ses réactions... les réactions d'un type jaloux, je m'en méfie.

— Jaloux de toi, tu plaisantes, lopette?

— Est-ce qu'on sait?

— Passons. Mais à moi, tu peux le dire. C'est bien sa femme qui t'avait donné ce foulard?

— Mais non, jamais de la vie, proteste-t-il avec une véhémence qui semble sonner juste. Je ne suis pas idiot. Si j'avais su que ce carré de soie appartenait à Nathalie, je l'aurais ôté de mon cou dès que j'ai repéré son mari, voyons. Encore une fois, je vous le répète, c'est Deirdre Olohan qui me l'a donné.

— A propos de Deirdre, dis-moi, je crois que tu possèdes d'assez jolies photos d'elle.

Là, il paraît tomber des nues.

— Moi, des photos de Deirdre? Mais pourquoi faire?

— Peut-être pour les montrer à ton ami Walsh.

— Sean Walsh n'est pas de mes amis. Je le connais, c'est tout. Tout le monde, le connaît à Dublin. Et je ne comprends rien à votre histoire de photos.

— Et si je t'écrasais un peu la gueule, tu comprendrais?

Il secoue la tête avec désespoir, une expression de trouille intense sur sa face de lune.

— Mais quelles photos? Je n'ai jamais pris de photos de Deirdre Olohan.

— Peut-être pas toi mais quelqu'un d'autre, toi étant présent... et sans demander l'avis de Deirdre.

— Que vous êtes compliqué. Comme si j'étais une personne à collectionner les photos de femme... enfin, voyons.

Le pire c'est que j'éprouve l'impression très nette qu'il dit la vérité. C'est ce qui me retient de lui taper dessus. Malgré tout j'insiste.

— Des photos de fille à poil, surtout d'une fille comme celle-là, en train de se payer une partie de jambes en l'air avec deux ou trois gentlemen, ça peut se vendre très cher... et encore plus cher à celle qui a servi de modèle.

— Mais pour qui me prenez-vous? Je suis un musicien, moi, et je vis de mon art uniquement.

— Un maître chanteur, ça connaît aussi la musique.

— Maître chanteur?... Non, non, réellement, vous faites fausse route. Allons trouver cette nuit, Deirdre Olohan et vous verrez ce qu'elle vous dira. Qu'est-ce que je peux faire de plus?

Je suis assez ébranlé mais ne lui en montre rien. Et lui, cherche tous les arguments pour me convaincre et s'éviter une dérouillée.

— Écoutez, poursuit-il, je ne parle pas de Michael Kavannagh qui ne peut pas me sentir mais à Nathalie, demandez-lui donc si elle me considère comme un maître chanteur ou quoi que ce soit d'approchant.

— Nathalie, encore faudrait-il que je sache où elle se trouve.

J'ai laché ma phrase presque sans m'en rendre compte. Avec tout de même une arrière-pensée, celle de voir quelles allaient être les réactions de la tantouze.

— Comment? lance-t-il avec un grand air d'étonnement. Mais elle est à Dublin, je l'ai encore aperçue hier après-midi.

— Quoi?

Il me regarde avec un air de doute.

— Mais vous la connaissez vraiment?

— Un peu, oui.

— Eh bien, je peux vous dire, moi, qu'hier, en fin

d'après-midi, elle circulait à bord d'une Volkswagen noire. La même voiture que...

Il s'arrête comme s'il s'estimait soudain au bord d'une gaffe.

Je balance un instant mon poing à la hauteur de ses mâchoires. Il doit craindre pour ses dents car il lâche :

— La même voiture que j'ai vu ce matin, Janos, le cuisinier du « Capri » conduire dans un garage qui fait des locations.

Je commence à croire que cette petite conversation n'aura pas été inutile.

— Hier, je poursuis, Nathalie Kavannagh était seule?

Il hésite.

— Oui... enfin, il m'a semblé... seule devant, certainement... à l'arrière, je ne saurais affirmer s'il y avait quelqu'un ou non.

J'en ai assez entendu. D'ailleurs l'autre paraît ne plus avoir grand-chose à dire.

— Barre-toi, je lui fais, et attends-toi à avoir des ennuis si tu m'as raconté des boniments.

— Je vous jure que non, sur la tête de...

— File.

Il ne se le fait pas répéter une troisième fois. En une seconde, il disparaît en boitillant, conséquence probable de sa chute. Lentement, je reviens vers le centre de Howth.

Je n'ai aucun mal à retrouver l'« Abbey Tavern » et avant même d'en franchir le seuil, j'ai déjà décidé de taire auprès de Michael ce que m'a raconté l'autre tapette.

Il ne faut pas être sorcier pour présumer que l'exquise Nathalie a dû se fourrer dans une histoire pourrie. Savoir comment, pourquoi ou pour qui, ça c'est le problème. Et j'aimerais pouvoir le résoudre sans que Michael puisse reprocher quoi que ce soit à sa femme au cas où elle ne serait pas blanche, blanche.

Je retrouve le dit Michael à sa place devant notre bouteille de whiskey dont le niveau a sérieusement baissé. Sur l'estrade, la même blonde aux cheveux de chanvre débite une ballade que l'assistance reprend en chœur au refrain. Michael chante avec les autres, des larmes plein la voix.

Il s'interrompt malgré tout pour me questionner.

– Alors ?

– Rien à tirer de lui. Ou il est totalement hors du coup ou il est très fort, ce qui me surprendrait beaucoup. Et toi ?

– Rien non plus. Ni coup de fil ni quoi que ce soit d'autre. J'ai l'impression que ces salauds se sont foutus de nous. Et en attendant, cette pauvre Nathalie...

De la gorge, les larmes lui remontent aux yeux Puis il finit par se remettre à chanter, tout en dodelinant de la tête tandis que je m'administre une sérieuse rasade de whiskey que j'estime bien gagnée.

Nous avons presque séché la bouteille lorsque, de mélodies en ballades, de complaintes en chansons de cow-boys, la soirée s'achève, un peu après onze heures et demie.

Nous quittons la salle noyée dans la fumée et retrouvons la Ford sans que personne nous ait fait le moindre signe d'intelligence.

Michael reprend le volant mais roule au ralenti. Je commence à comprendre pourquoi en Irlande, on ignore pratiquement ce qu'est un excès de vitesse.

— Et maintenant que faire? lance-t-il, en donnant l'impression qu'il a un cheveu sur la langue.

Je hausse les épaules.

— Rentrer et attendre.

— Attendre Nathalie qui, elle, ne rentrera peut-être plus jamais.

— Allons, allons, ne te laisse pas aller, Michael.

— Non, non, il ne faut pas. Tu ne sais pas ce que je pensais, François, tout à l'heure?

— Dis.

— C'est au fond une malchance que ce porc de Seamus Kevin ait été tué sur le coup, hier. S'il n'avait été que blessé, on aurait pu le faire parler. Et je te jure qu'il en aurait trouvé des choses à nous dire... en le bousculant un peu.

— Peut-être... peut-être pas.

— Comment ça, peut-être pas?

— Si tu veux mon opinion, Kevin avait été tout simplement chargé par son ami Walsh de prendre le relais du type à gueule de dogue avec qui je m'étais accroché dans les docks. Il nous aura suivi jusqu'à Glendalough et, là-bas, aura appris par Janos ce que nous étions venus faire au manoir. Dans sa petite tête, il se sera dit que les pierres ne feraient pas mal dans sa tirelire. Et pour s'éviter les ennuis, il aura décidé de nous exécuter. Il aurait ensuite bien trouvé une histoire quelconque à raconter à Walsh. Seulement, il y a eu un os, voilà.

— Cet os, je paierais cher pour savoir quelle tête il a, bougonne Michael.

— Et je pense également à une chose, Michael. La

lettre qu'a reçue Janos avait fatalement été postée hier.

— Alors?

— Elle a très bien pu être composée par un type qui, au cours de la nuit, aura avalé son acte de naissance.

— Alors?

— Et si personne ne s'est manifesté à toi, ce soir, Michael, c'est peut-être parce que les morts éprouvent une certaine difficulté à être à l'heure à leurs rendez-vous.

— Tu crois que ce serait lui qui...

— Je ne crois rien. Je fais des hypothèses.

Il ne réplique rien.

Dix minutes plus tard, nous arrivons devant la pizzeria.

La grille est tirée, l'enseigne éteinte et, à l'intérieur tout est obscur. Par contre, à une des fenêtres du premier brille une lumière. L'œil de Michael se durcit.

Ça doit être Janos qui nous attend, il a les clefs de l'appartement. Et s'il nous attend, c'est qu'il y a sans doute du nouveau.

Je suis assez de cet avis.

En trombe, nous émergeons tous les deux de la Ford et fonçons vers la porte de l'immeuble. Michael prend de l'avance dans l'escalier mais je le rejoins sur le palier. Nous fonçons ensemble dans le couloir et c'est, épaule contre épaule que nous débouchons au seuil du living.

Aussitôt, j'ai un coup au cœur. Ce n'est pas le cuisinier qui se trouve dans la pièce. C'est Nathalie.

XVII

En descendant de ma chambre, le lendemain, je trouvai Michael radieux. A côté de lui, Nathalie, en pyjama de soie cerise, beurrait des toasts. Elle laissa tomber son couteau pour me sauter au cou et me faire la bise. Quatre bises.

Je ne me serais pas lassé de la regarder. Elle était plus jolie que jamais, plus blonde aussi et ses yeux avaient un éclat un peu fiévreux qui les faisait paraître encore plus profonds et plus noirs.

Si cette fille-là était neurasthénique, ainsi que le prétendait Deirdre, moi j'étais le pape.

Je m'assis et nous avons commencé tous les trois à attaquer le breakfast.

Nous n'avions pas avalé trois bouchées d'œufs au lard fumé, que Michael annonçait triomphant :

— Le bonheur doit me rendre astucieux, François. Il m'est venu une idée, cette nuit, une idée sensationnelle qui va nous permettre de résoudre le seul problème qui se pose.

— Attends que parrain ait fini son petit déjeuner, intervint ma filleule, et sois un peu plus calme, veux-tu?

Il n'insista pas. C'était curieux mais, depuis la nuit

passée, j'éprouvais à les voir vivre, une impression jamais ressentie jusqu'ici. Dans leur couple, c'était incontestablement Nathalie qui avait pris la barre. Ça n'était pas choquant car la gosse possède du doigté et de la délicatesse, mais c'était flagrant. Ça se repérait à une foule de petits riens, des regards, des intonations de voix, des gestes ébauchés ou retenus, une certaine ambiance.

Quant à moi, je me sentais surtout soulagé de ne plus avoir à envisager de servir d'écran protecteur à Nathalie, dans des histoires pas très nettes.

La veille, sitôt les premières effusions terminées — et elles avaient été longues, exubérantes et pleines de chaleur — la petite nous avait tout expliqué.

— Je ne peux pas dire que j'ai eu vraiment très peur mais j'ai bien cru que j'allais y passer. Je savais la somme qu'ils te réclamaient, Michael, et je savais aussi trop bien que tu étais incapable de la débourser.

— Avec l'aide de Dieu, on fait des miracles.

— Je ne crois pas en Dieu.

Je m'étais impatienté.

— Bon sang, continue, Natou. Qui sont ces « ils » dont tu parles?

— Eh bien, d'une part un certain Seamus Kevin que François connaît et un autre type de son âge du nom de Bill, que je n'avais jamais vu de ma vie.

— Mais comment s'y est-on pris pour t'enlever?

— Oh, très simplement. Je me trouvais aux toilettes de l'aéroport lorsque j'ai été abordée par un inconnu, ce Bill dont je viens de vous parler qui s'est fait passer pour un inspecteur de police et m'a accusée de transporter de la drogue sur moi. Je suis tombée dans le panneau comme la dernière des idiotes et j'ai accepté de l'accompagner pour subir une fouille. En fait de fouille, au lieu de me conduire dans le local de la police de l'aéroport, il m'a emmenée jusqu'à une voiture où se trouvait Kevin. En voyant celui-là, je me suis tout de suite doutée qu'on s'était joué de moi. Mais déjà, le soi-disant policier m'avait braqué le canon d'un pistolet dans les reins et obligée de monter dans la voiture. Kevin m'a alors forcée à avaler une sorte de bonbon et je me suis endormie presque instantanément. J'ignore où nous avons pu nous rendre. A mon réveil, je me suis retrouvée dans une chambre que je n'ai pratiquement plus quittée jusqu'à ce soir. Je dois dire qu'ils ne m'ont pas maltraitée et que la nourriture était convenable. Mais je les sentais de plus en plus nerveux et ils ne m'avaient pas caché ce qui m'attendait. Ce qu'ils appelaient de petits prélèvements sur ma personne d'abord et ensuite...

— Ne pense plus à ça, Nathalie, avait lancé Michael.

— Mais raconte nous tout de même la suite.

— Eh bien, de toute la journée d'aujourd'hui, je n'ai plus revu Seamus Kevin et dans la soirée, l'autre qui était plus jeune et du genre plutôt mollasson et indécis, a fini par m'annoncer qu'il allait me relâcher. Il m'a bandé les yeux, nous avons roulé en voiture un bon moment et il a fini par me déposer dans un endroit désert, au bord de la Liffey, tout près de Phoenix Park. Et me voilà. J'ai dû rentrer à pied, je n'avais pas un penny sur moi. Je suis exténuée et je meurs d'envie de prendre un bain brûlant.

— Tu n'as pas lu les journaux? avait interrogé Michael.

— Non, pourquoi, on a parlé de moi?

— Pas précisément. Attends un instant.

Il était passé dans la pièce à côté pour en revenir avec l'*Evening Herald*.

— Jette un coup d'œil là-dessus et tu comprendras pourquoi tu ne risquais pas de voir Kevin, aujourd'hui.

Nathalie avait saisi le journal à deux mains et était soudain devenue livide.

— Quelqu'un l'a tué... et sous nos yeux, avait précisé Michael.

— Comment ça, sous vos yeux?

— On t'expliquera. François et moi avons également pas mal de choses à te raconter. Quant au reste, ça m'apparaît clair. Kevin disparu, son acolyte a dû s'affoler et saisi de panique, il aura jugé préférable de relâcher Nathalie.

Michael s'était mis à éclater d'un bon gros rire avant de poursuivre.

— Le plus drôle c'est que nous l'avions, l'argent de ta rançon.

— Quoi?

— Et même beaucoup plus, crois-moi.

— Mais comment...

— Jette encore un regard sur l'*Evening Herald*. L'affaire du collier de diamants de Cynthia Mulcahy, c'est notre travail à parrain et à moi.

— Et à Janos, avais-je ajouté.

Nathalie avait ouvert des yeux comme des soucoupes.

— Vous? Vous? C'est vous qui avez fait ça?

— Pour toi.

— Extraordinaire! Parrain, je devrais te gronder d'avoir entraîné Michael dans une aventure pareille...

mais je ne peux pas, c'est trop beau. J'ai un parrain et un mari merveilleux. Venez que je vous embrasse.

Puis, la dernière bise donnée, elle avait repris.

— Mais où est-il ce collier que je le vois?

— Caché à la cave.

— Descends tout de suite le chercher.

Quelques minutes plus tard, lorsque la parure aux treize diamants jonquille s'était retrouvée étalée sur la table, la gosse avait battu des mains, comme une gosse précisément. Les prunelles brillantes, le souffle précipité, semblant vivre un rêve, elle avait passé le collier à son cou et s'était contemplée dans la glace murale. L'extase.

— Vous n'allez pas le restituer maintenant que je suis de retour? avait-elle interrogé, avec une ombre d'inquiétude sur le visage.

C'est moi qui avais répondu.

— Nous ferions mieux mais nous ne le ferons pas.

— Et si je le gardais?

— Tu es folle?

— Mais je ne le porterais que lorsque je serais seule avec Michael, ici, dans notre chambre.

— Ça m'apparaît une fantaisie un peu coûteuse.

Elle avait fait mine de bouder.

— Oh bon, vous avez été à deux doigts de me perdre et maintenant, je ne suis pas là depuis une heure que déjà vous me refusez un petit plaisir.

Puis elle s'était remise à sourire.

— Enfin, je vous pardonne malgré tout. Mais ce que tu ne m'empêcheras en tout cas pas de faire, parrain, c'est de passer la nuit avec ce collier à mon cou. N'est-ce pas, Michael?

On lui avait passé ce caprice.

Et à voir les cernes qui marquaient ce matin ses yeux ainsi que ceux de son mari, il était à croire qu'outre sa valeur marchande, ce sacré collier devait posséder de sérieux pouvoirs aphrodisiaques.

Le breakfast liquidé, je finissais de boire une dernière gorgée de café lorsque Michael revint à la charge.

— Maintenant, venons-en aux questions pratiques. François, je sais comment nous allons pouvoir faire passer nos pierres de l'autre côté du Channel et sans courir le moindre risque.

— Ah? Tu m'intéresses.

L'air très fier de lui, le mari de Nathalie poursuivit :

— Tu n'ignores pas qu'au premier rang de ses exportations, l'Irlande compte la bière et le whiskey. Bon. Tu dois savoir également qu'il existe à Dublin une très importante distillerie de whiskey, je veux parler du John Power.

— J'ai bu.

— Je sais. Bien. La distillerie, elle-même, se trouve dans le quartier ouest de Dublin, dans la Thomas street. Mais l'embouteillage, lui, s'opère dans une localité située à six kilomètres de la ville, à Clondalkin.

— Ravi de l'apprendre. Mais quel rapport avec nos cailloux?

— J'y viens. La chaîne d'embouteillage, d'étiquetage et de capsulage est surveillée par une dizaine de jeunes filles. Ce sont des employées de qui l'on exige une certaine habileté manuelle, un coup d'œil rapide et de la vivacité. Bien. Suppose alors que celle d'entre elles chargée de vérifier le capsulage de la chaîne tout au bout soit d'accord pour coller à l'intérieur des bouchons de treize bouteilles destinées à être convoyées sur Paris, chacune de nos treize pierres. Qu'en dirais-tu?

— Je dirais que c'est une supposition, fis-je, plutôt froid. Et que je n'aime pas beaucoup que dans un projet la chance et le hasard tiennent une part trop grande, pour ne pas dire considérable. Alors, réfléchis avec ton grand cerveau, Michael. Pour que précisément, on arrive à convaincre la fille s'occupant du capsulage de nous donner un coup de main et que cette nana ne soit ni une conne, ni une écervelée, ni quelqu'un de trop à cheval sur l'honnêteté, ni quelqu'un de trop filou non plus, il faudrait un sacré pot. Et se fier au pot c'est s'aventurer, les yeux bandés, sur un terrain miné.

— Je t'arrête. Avec Nathalie, nous connaissons justement une fille qui a travaillé au « Capri » durant quelques mois et qui s'est ensuite fait embaucher à l'usine d'embouteillage de Clondalkin. C'est une jeune personne en qui nous avons toute confiance.

— Exact, approuva Nathalie. Dix-neuf ans, de l'ambition et un sens très sûr de son intérêt. En lui promettant un certain dédommagement, elle nous serait entièrement acquise.

— A moins que son ambition et sa notion de son intérêt personnel l'amènent à se tirer avec nos diamants même si c'est pour les fourguer pour une bouchée de pain ou se les faire secouer par un petit Jules de ses relations.

— Impossible. Elle est trop intelligente pour ça et elle n'est pas folle. D'autre part, c'est une gamine sérieuse qui ne s'en laisse pas conter par le premier venu.

— Admettons. Mais qui vous dit que c'est elle qui est chargée du capsulage ?

— En Irlande, il ne règne pas une discipline de fer dans les usines et tout permet de supposer que si elle était d'accord avec nous, il lui serait extrêmement facile de permuter de place avec une de ses copines de travail.

— Ouais.

Sans être tout à fait convaincu, je commençais à penser qu'il y avait quand même de l'idée dans le projet. J'en arrivais même à m'étonner que Michael ait pu tirer ça de ses méninges.

— Il faudrait agir vite, je poursuivis.

— Nous pouvons rencontrer Nuala — c'est son prénom — dès ce soir et tout lui expliquer.

— Oui, mais pour continuer le petit jeu des suppositions, imaginons que tout se passe sans pépins et que nos pierres se retrouvent cachées dans les bouchons de treize bouteilles. Et ensuite? Ces bouteilles seront mises en cartons, non? Et comment savoir dans quels cartons? Et comment être sûrs de la destination du carton qui nous intéresse? Et comment le récupérer en fin de compte?

— Et comment... et comment... et comment, s'impatienta Michael, procédons par ordre, veux-tu? D'une part, si Nuala prend soin de se livrer à la petite opération que nous attendons d'elle, tout à fait en fin de journée, il lui sera facile, avant de se rendre au vestiaire, de repérer le carton renfermant les bouteilles garnies par ses soins et de lui faire discrètement une marque quelconque. D'autre part, il lui sera non moins facile, en bavardant avec les manutentionnaires d'apprendre quels chargements de cartons sont destinés à la France et d'agir en conséquence. Point final, une fois ce chargement parvenu à Paris, je pense que ce n'est pas se montrer trop optimiste que d'estimer que le vol d'un carton de whiskey dans un entrepôt pose tout de même moins de problèmes que de mettre la main sur un collier de diamants enfermé dans un coffre blindé. Je me trompe?

Ce sacré Irlandais avait réponse à tout. Je finis par l'admettre. Et l'approbation du regard de Nathalie me plongea dans une douce joie. Pourtant, j'avais une dernière objection.

— Très joli tout ça mais j'aurai l'impression d'avancer à l'aveuglette tant que je n'aurai pas repéré les locaux et vu de mes yeux comment fonctionne le système.

— S'il n'y a que ça, va visiter l'usine. Ça ne présente aucune difficulté. Je passe un coup de fil à un vieux journaliste de mes amis, grand buveur et grand discoureur. Il se fera un plaisir de t'accompagner là-bas et de te faire tout visiter.

Il décrocha le téléphone, expliqua à l'autre ce qu'il attendait de lui, prétextant qu'en tant qu'étranger, j'étais très curieux de visiter une distillerie. Le type ayant acquiescé, il me le passa.

Nous avons décidé de nous retrouver aux alentours de deux heures au bar de l'hôtel Shelbourne, en bordure d'un grand parc, le Saint Stephens Green.

— Nous déjeunerons tôt, annonça Michael, en attendant je sors acheter les journaux du matin et je pousserai jusque chez les parents de Nuala pour qu'ils la préviennent que je désire la voir lorsqu'elle rentrera de son travail.

— Au fait pourquoi vous êtes-vous séparés d'elle?

— C'est elle qui s'est séparée de nous. Elle ne pouvait pas supporter que les clients lui tournent autour.

En même temps qu'il s'en allait et que Nathalie allait s'habiller, je suis remonté au second en faire autant, car je n'avais sur moi qu'un pyjama et une robe de chambre.

Dans ma penderie, du linge plus très net commençait à s'accumuler. J'emportai le tout dans la salle de bains où j'avais repéré un panier d'osier réservé à tout ce qui était destiné au blanchisseur. Il ne contenait pour l'instant qu'un mouchoir roulé en boule. Celui taché de sang qui m'avait servi à essuyer le visage de Michael lorsque je l'avais retrouvé saucissonné dans l'appartement.

Sans trop savoir pourquoi sur l'instant, je le pris entre mes mains et le dépliai devant moi. Le sang avait noirci, c'était tout. Déjà, j'allais le rejeter dans le panier lorsque, changeant d'idée, toujours sans intention très précise je l'enveloppai dans la double feuille d'un magazine de cinéma qui traînait et allai glisser le tout dans une poche de mon poil de chameau. Puis, en quelques minutes, j'achevai de m'habiller. Blouson de laine en écossais, rouge et noir, pantalon de velours côtelé gris fer et bottillons de cuir fauve à boucle.

Lorsque je repassai au premier, Nathalie n'était toujours pas ressortie de sa chambre. Je gagnai la rue où une pluie fine commençait à tomber et me dirigeai vers la Grafton street qui, en cette fin de matinée, grouillait de monde. Dans une pharmacie, je demandai l'adresse d'un laboratoire d'analyses médicales. Il y en avait précisément un à deux rues de là, je m'y rendis et déposai mon paquet contenant le mouchoir souillé de sang. Je repartis avec l'assurance d'avoir dans les vingt-quatre heures, le résultat de l'analyse.

Le temps ensuite de boire une pinte bien mousseuse pour achever de faire passer le breakfast et une demi-douzaine de whiskeys en guise d'apéritifs et, à midi et demi, je retrouvais ma filleule et son mari dans l'appartement. La table était déjà mise. Deux whiskeys chacun pour finir de nous ouvrir l'appétit et nous attaquions le déjeuner qu'avait monté Dearbhla, une des serveuses, directement de la cuisine. Menu à l'italienne... façon hongroise. Jambon de Parme, taglierini aux fruits de mer et filet de bœuf pissaiola. Avec des félicitations pour le tout à adresser au signor Janos.

— J'ai vu la mère de Nuala, annonça Michael tandis que nous prenions un expresso, la petite viendra ici vers sept heures.

— Il ne restera plus qu'à la décider, ajoutai-je.

— Ça, j'en fais mon affaire, laissa tomber Nathalie.

— François, reprit son mari, tu peux disposer de la voiture. Si je sors, cet après-midi, ce ne sera pas pour aller très loin.

Je jetai, avant de sortir, un dernier coup d'œil sur les quotidiens qu'il avait ramenés. Mais pas plus l'*Irish Times* que l'*Irish Press* ou l'*Irich Indépendant* n'annonçait rien de bien nouveau concernant le vol des diamants de Cynthia Mulcahy et l'assassinat de Seamus Kevin. Seul détail à noter, une moto de forte cylindrée appartenant à ce dernier avait été retrouvée couverte de boue à proximité des docks. Aucune empreinte digitale n'avait pu être relevée, aux dires des poulets.

Avant de rejoindre le vieux journaliste ami de Michael — un certain Eamon Woodcock — je m'arrêtai une fois encore dans un pub pour passer un coup de fil à Deirdre à qui j'avais peu de chance d'aller rendre visite cet après-midi.

Elle était chez elle et avait le parler de quelqu'un qui vient de s'éveiller et qui n'est pas très bien dans son assiette. Elle parut plus à son aise lorsqu'elle eut reconnu ma voix.

— Ah, c'est vous, François? Quand venez-vous?

— Malheureusement, il ne me sera pas possible de passer chez vous aujourd'hui, Deirdre. Je regrette mais je ne peux vraiment pas faire autrement.

Elle eut un accent de contrariété.

— Ça prouve que vous ne tenez sans doute pas beaucoup à me voir.

— Ce n'est pas ça. Une obligation...

— Une obligation si importante?

— Oui... enfin non. Je dois aller visiter la distillerie John Power.

La rousse eut un rire dur.

— Et c'est pour ça que vous me laissez tomber? C'est très galant de votre part.

Ne sachant plus qu'inventer, je lui sortis.

— Mais je ne suis pas à Dublin uniquement pour me promener. J'ai du travail également.

— Je vous croyais dans l'immobilier?

— Je n'ai pas que cette affaire. Écoutez, Deirdre, ne m'en veuillez pas. Je vous donnerai très bientôt une preuve... tangible que je n'ai pas cessé de penser à vous.

Son ton se fit dédaigneux.

— Si vous faites allusion à une question d'argent, sachez que les chèques n'achètent pas tout.

— Si, parfois la tranquillité des gens.

Elle raccrocha.

Un quart d'heure plus tard, je pénétrais dans le hall de l'hôtel Shelbourne au bar duquel se trouvait déjà le bonhomme, pas très à jeun.

— Fameuse idée que Michael a eue de m'appeler, vieil ami. Vous ne pouviez trouver personne de mieux pour vous faire visiter la distillerie. Je les ai prévenus, là-bas. Ils me connaissent bien, ils nous laisseront aller et venir tranquillement. Mais buvons donc un verre ou deux avant de partir. Dans moins de trente minutes, c'est l'heure sainte.

— L'heure sainte?

— Oui, the holly hour, de quatorze heures trente à quinze heures trente, l'heure durant laquelle chaque jour que Dieu fait, tous les débits de boissons de Dublin et d'Irlande sont contraints de fermer. Alors, avant l'heure sainte... faisons le plein.

L'heure sainte, nous l'avons passée tout entière à nous balader d'un bout à l'autre de la distillerie. Assez impressionnante d'ailleurs, cette promenade de salle en salle, entre les immenses cuves de mélange et de fermentation et les alambics géants, tandis qu'intarissable le petit homme aux verres à double foyer m'instruisait.

« ... Sachez, vieil ami, que notre whiskey est à base d'orge maltée et non-maltée auquel on adjoint du blé, de l'avoine et du seigle pour donner à la liqueur une plus grande finesse. Quant au dosage, ça c'est un secret, un secret conservé depuis des siècles et des siècles. Et on nous accuse d'être des bavards...

... vous voyez cette cuve de mélange? Mille huit cents hectolitres de contenance, quelque chose, hein? Attention de ne pas choir dedans, votre présence gâterait l'opération. C'est ici que l'orge et les autres céréales sont versées dans de l'eau de nos torrents, puis brassées et encore rebrassées, jusqu'à ce qu'il en résulte un liquide très riche en sucre du fait de la conversion des amidons qui va s'écouler par des trous percés au fond des cuves pour être acheminé par tuyauteries jusque dans les cuves de fermentation. Vous allez vous rendre compte, passons à côté...

Nous avons franchi une passerelle de fer puis gravi un petit escalier circulaire, entourant des cuves en aluminium, sans que Woodcock cessât de pérorer :

... cent trente-cinq hectolitres chacune comme capacité. On additionne de la levure au liquide et on laisse fermenter gentiment. L'opération demande quatre-vingt-dix heures. De toute façon, elle est surveillée par un spécialiste qui ne juge la fermentation terminée que lorsque le maximum d'alcool a été obtenu, soit environ huit pour cent d'alcool absolu... vous entendez, vieil ami, huit pour cent d'alcool absolu...

A cette évocation, ses yeux s'étaient mis à briller derrière ses lunettes.

...je vous l'ai déjà dit, l'autre soir, ou tout au moins je crois, le whiskey irlandais est le produit de trois distillation par passages successifs dans trois alambics. Lors de la troisième distillation, seul le distillat du deuxième tiers a l'honneur de devenir du whiskey. Le premier et le troisième tiers en sont jugés indignes et sont renvoyés dans le premier alambic pour une nouvelle distillation. Mais descendons maintenant dans les caves où s'effectue la maturation...

Un grand monte-charge nous amena dans je ne sais trop quel sous-sol où s'alignaient des rangées et des rangées de tonneaux entre lesquelles nous nous sommes mis à avancer.

... très important le choix des caves, vieil ami. La maison John Power en possède outre celles-ci, de nombreuses réparties autour de Dublin. Elles ont toutes des températures différentes et des degrés d'humidité divers. Certaines sont très sèches, d'autres extrêmement humides. Notez-le bien car c'est là un facteur essentiel, les caractéristiques des whiskeys obtenus étant très différentes d'une cave à l'autre...

Le petit homme s'approcha d'une futaille et la caressa de la main avec affection, tout en continuant à me faire profiter de sa science :

... notre whiskey est vieilli dans des fûts en chêne, les uns ayant contenu déjà du whiskey, d'autres du xérès, d'autres du rhum, certains fûts sont de chêne fumé et certains encore tout neufs. C'est l'utilisation de ces divers fûts qui donne à notre whiskey son goût inimitable...

... Quant au temps de maturation, il varie entre sept et quinze ans. Et la moyenne d'âge est de onze ans. Et attention, vieil ami, nous, Irlandais, ne distillons que pendant six mois de l'année, uniquement de novembre à avril. Important, ça, très important... Ensuite ce sont les opérations de mélange et d'embouteillage, mais elles ne s'effectuent pas ici. »

Là, nous touchions au point sensible. Je ne m'étais déplacé, en fait, que pour cette partie de la visite et je commençais à m'impatienter. J'arrachai le vieil homme à sa contemplation des futailles, en lui suggérant :

— L'heure sainte me semble écoulée. Et tout ce whiskey en tonneaux ne vaut pas pour l'instant un petit verre que je tiendrais dans ma main.

— Juste, très juste. D'ailleurs vous avez vu tout ce qu'il convenait de voir, ici. Allons donc faire une halte, nous nous rendrons ensuite à Clondalkin.

Le même monte-charge nous a remonté à l'air libre et nous avons repris la Ford encore ruisselante de la précédente averse. Maintenant, il faisait soleil et le ciel était devenu d'un bleu très clair, un bleu de dragée.

Pour franchir les six kilomètres qui nous séparaient de Clondalkin, nous ne nous sommes arrêtés que trois fois, chiffre raisonnable. L'annexe de la distillerie se trouvait presque dans la campagne. Tout autour de nous, des haies, des bouquets d'arbres, des prés. Mon œil a dû s'allumer lorsque nous avons franchi les grilles de l'établissement. Là aussi, Eamon Woodcock avait carte blanche pour circuler à sa guise et, de plus en plus en verve, l'aimable poivrot m'a tout de suite entraîné vers les salles de mélanges.

... le « vating », autrement dit le mélange est déterminé par les conditions dans lesquelles le whiskey a vieilli, choix des caves, des tonneaux et âge. Le John Power que nous avons bu tout à l'heure est donc obtenu par le mélange de divers whiskeys ayant de sept à quinze ans, provenant de fûts d'origines diverses et de caves différentes. Pourquoi ces mélanges, me demanderez-vous, vieil ami, tout simplement parce que l'expérience a démontré que l'on obtenait ainsi un whiskey atteignant à la perfection. La méthode remonte à 1780, alors, n'est-ce pas...

Je jugeai en avoir suffisamment vu et entendu.

— Et l'embouteillage? dis-je.

— Nous y venons. Traversons d'abord cette salle. Vous voyez ces cuves? Ce sont celles qui sont utilisées pour le dernier mélange permettant d'obtenir un whiskey ayant le degré d'alcool souhaité pour la consommation courante. Le mélange whiskey et eau doit atteindre 43° ; il est alors acheminé vers la salle d'embouteillage.

Cette fois, nous y étions. Et je n'avais plus aucun besoin d'écouter les explications de mon guide, ce que je voyais me suffisait.

Dans une longue et large salle éclairée par des rampes de néon, deux chaînes d'embouteillage, de bouchage, de capsulage et de mise en carton fonctionnaient à plein rendement, au son d'une musique d'ambiance déversée par des haut-parleurs.

Autour de chaque chaîne entièrement automatique, une dizaine de filles jeunes, en blouse bleue, assises sur des tabourets mobiles, vérifiaient la bonne marche de l'opération. Tout au fond de la salle, s'amoncellaient les cartons fermés prêts à être expédiés.

Je ne mis pas cinq minutes à constater que le projet de Michael était parfaitement réalisable. Tout ne dépendait que du bon vouloir, du savoir-faire et de l'astuce de la gosse chargée du travail.

Tandis que les files de bouteilles cheminaient lentement, régulièrement, le long des rampes métalliques, tournaient autour des spots de bouchage et d'étiquetage, subissaient l'une après l'autre, un examen par transparence à l'aide d'un rayon lumineux pour permettre de découvrir toute trace d'impureté, je m'approchai de chacune des employées et, tout en feignant de me passionner pour l'activité de la chaîne, les lorgnai au passage, en hypocrite.

Tout à la fin, sur la vingtaine de gosses dont j'avais détaillé le visage et la façon de se comporter, il n'y en eut que trois qui m'avaient semblé au coup d'œil suffisamment futées et vicelardes pour ne pas risquer de nous décevoir.

Une brune boulotte au regard sournois mais intelligent, une grande à la tignasse carotte qui avait des mains de pianiste et un dem-sourire assez expressif aux lèvres. Et enfin, une autre rouquine mais en plus clair, boutonneuse et basse de cul mais certainement délurée et pas sotte.

J'avais eu du flair. Sur le coup de sept heures, celle qui se présenta chez Michael et Nathalie, fut la grande fille aux boucles carotte.

XVIII

Tout baigne dans l'huile. Hier, Nuala s'est montrée compréhensive, intelligente et coopérative. Pour la mettre en appétit, Michael lui a refilé une petite avance et on la sent prête à faire n'importe quoi – et à le faire bien – pour avoir droit à la sérieuse récompense que nous lui avons promise.

Par comble de chance, tout va pouvoir se passer dans les plus brefs délais. La veille, la grande rouquine nous a en effet appris que le lendemain même, au début de l'après-midi devait avoir lieu un transport de whis - kcy à dcstination dc Paris. Un camion assurcrait lc convoiement des cartons depuis Clondalkin jusqu'aux docks où un cargo prendrait le fret en charge.

Nous avons gardé la gosse à dîner et je me suis même laissé aller à lui caresser les genoux, en la raccompagnant chez ses parents. Ça s'est borné là. Elle n'est pas vraiment farouche mais on la sent sur ses gardes.

Ce matin, je me suis levé tôt pour aller la chercher avec la Ford, aux abords de son domicile, afin de la conduire jusqu'à son lieu de travail. C'est au tout dernier moment que je lui remettrai les diamants qu'avec Michael nous avons dessertis de leur monture de platine. Il ne faut quand même pas tenter le diable.

En attendant, tout en conduisant, je lui fais répéter sa leçon.

— J'ai parfaitement compris. J'ai mis un blouson à poches pour pouvoir y glisser les pierres que vous allez me remettre. Rien de plus simple ensuite que de passer ma main sous ma blouse pour les récupérer.

Je lui ai donné de l'araldite pour assurer le collage à l'intérieur de la capsule et lui ai montré comment effectuer l'opération.

— J'attendrai les dix dernières minutes avant l'arrêt de midi, poursuit-elle, ainsi je serai sûre de repérer où se trouvent les cartons contenant les bouteilles... chargées.

— Très bien. Et vous êtes certaine de pouvoir occuper la place qui convient?

— Aucune difficulté. Ça nous arrive souvent de changer de tabouret pour rendre le travail un peu moins barbant.

— Parfait. N'oubliez surtout pas de marquer les cartons.

— Je n'oublierai pas. Une croix au rouge à lèvres qui fasse comme un point sur le « J » de John. Ce sont des cartons de dix, il y en aura donc deux.

— Combien de cartons, en général, pour le chargement d'un camion?

— J'ai entendu parler de neuf cents. Ce sont de gros camions, vous savez. De marque « Guy ». De toute façon, il n'y en a qu'un qui sort, cet après-midi. Et aux docks, l'emplacement réservé aux cargaisons de John Power se trouve au North Wall. Je le sais, je me suis occupée du téléphone là-bas, pendant une semaine, pour un remplacement.

Cette grande gigue c'est quelqu'un de précieux. Avec ce qu'elle a dans la tête, elle fera son chemin, surtout lorsqu'elle se sera un peu étoffée de la poitrine et des fesses.

Une trentaine de mètres avant les grilles de l'usine, j'arrête la voiture et je confie à Nuala qui ouvre des yeux extasiés, les treize diamants jonquille de la parure de Cynthia Mulcahy. La fille me gratifie d'un sourire, ouvre sa portière et sort. Je la regarde s'éloigner, avec des battements de cœur un peu précipités.

A midi, je dois revenir la prendre pour m'assurer que tout s'est bien passé et qu'il n'y a pas de contretemps en ce qui concerne la sortie du camion. Jusque-là, je sais que je vais piquer des suées d'inquiétude.

Je reviens vers Dublin et, une fois dans le centre, je passe au laboratoire proche de la Grafton street chercher le résultat de l'analyse que j'ai commandée la veille.

Lorsqu'on me remet la feuille, je ne peux m'empêcher de froncer les sourcils.

J'empoche le feuillet, abandonne le mouchoir à un vide-ordures et comme il est encore tôt, je décide de passer chez Deirdre. Pour ne pas risquer qu'elle me raccroche au nez, je m'abstiens de lui téléphoner et directement, je mets le cap sur l'atelier de la Marlborough street.

Je dois tirer à trois reprises le pied de biche avant d'entendre remuer de l'autre côté de la porte. Aujourd'hui, Deirdre semble s'être barricadée. Je perçois, en effet, le claquement de deux verrous qu'on tire et le bruit d'une clef tournant dans une serrure avant de voir le battant s'entrouvrir.

La ravissante esquisse presque un mouvement de recul en me découvrant, les pieds sur son paillasson. Mais elle réprime son premier réflexe pour me lancer de la voix cassée de quelqu'un qui aurait trop bu, trop fumé ou trop crié:

— Ah, c'est vous, François... vous auriez pu me prévenir.

— Je vous dérange?

— Non... oui... enfin un peu... moi, vous savez, le matin... mais entrez tout de même.

Je ne pense pourtant pas l'avoir tirée de son lit. Elle est vêtue d'un ensemble de jersey tête de nègre et chaussée d'escarpins noirs, tout comme si elle se préparait à sortir. Elle est impeccablement maquillée et coiffée mais, même à la chiche clarté du palier et de l'entrée, je suis frappé par le gonflement de ses paupières et la rougeur de ses yeux. Et lorsque nous nous retrouvons dans l'atelier, je n'ai plus aucun doute, Deirdre arbore les yeux de quelqu'un qui a beaucoup pleuré. Quant à la pièce elle-même, elle est jonchée de morceaux d'assiettes et de verres cassés, mêlés aux débris d'un vase de céramique. Tout à fait le décor d'un lieu où se serait déroulée une sacrée scène de ménage.

— Ne faites pas attention, François. J'ai voulu faire un peu de rangement ce matin et vous voyez le résultat. Il y a des jours où on n'a pas la main heureuse. Asseyez-vous sur le sofa. Whiskey?

— Volontiers.

Elle nous sert et pose ses fesses en face de moi dans un fauteuil.

— Excusez-moi de m'être montrée un peu vive,

hier, mais j'étais très déçue de ne pas vous voir. Votre visite à la distillerie Power s'est bien passée?

— Oui, oui...

— Vous pensez faire des affaires avec eux?

— Ce n'est pas impossible.

Elle me regarde avec un sourire qui tend à me faire bien comprendre qu'elle n'en croit rien, chasse négligemment du bout de sa chaussure le bord d'une assiette à fleurs et poursuit :

— Vous ne semblez pas aller beaucoup à la chasse ni à la pêche, Michael et vous?

— Nous avons tout le temps.

— Vous envisagez un long séjour en Irlande?

— C'est-à-dire que je vais être obligé de retourner à Paris, dès demain et d'y rester deux ou trois jours. Mais je reviendrai aussitôt et pour la suite, ça dépendra un peu de vous.

— De moi?

— Une fois réglé le problème qui vous préoccupe, pourquoi ne pas aller faire un tour ensemble dans le Kerry ou le Connemara?

— Oh, bien sûr, bien sûr, fait-elle sans trop d'enthousiasme.

Comme je la sens toujours nerveuse, tendue, je veux la rassurer.

— Ne vous inquiétez donc plus pour cette histoire de photos. Dès mon retour de France, tout s'arrangera.

— Vous pensez?

— J'en suis sûr. A propos, vous devez certainement avoir un jeu de ces photos?

— Naturellement.

— Pourrais-je jeter un coup d'œil dessus?

Elle me coule un regard méfiant.

— Vous y tenez tellement?

— Oui.

— Oh s'il n'y a que ça pour vous faire plaisir.

Elle se dirige vers le bahut et sort d'un tiroir une enveloppe qu'elle vient déposer sur mes genoux. J'en sors une dizaine de photos sur papier glacé et au premier coup d'œil, j'ai un réflexe de surprise.

Ces photos où Deirdre se trouve en galante posture et dans la plus parfaite nudité, en compagnie d'un partenaire dont on ne voit que le dos, sont en tous points semblables à celles que les deux arcans m'avaient glissées entre les mains, le jour de mon arrivée. Mêmes positions, mêmes corps. La seule différence c'est que sur les épreuves que j'ai actuellement sous les yeux, le visage est celui de Deirdre alors que sur les autres, il n'y avait aucun mal à identifier les traits de Nathalie.

Et aussitôt, je comprends. Comme les photos que je tiens en ce moment entre mes doigts n'ont certainement subi aucun truquage, il faut en déduire que sur celles que j'ai vues l'autre après-midi, si la tête de Natou se trouvait à la place de celle de Deirdre c'était uniquement du fait d'un habile montage.

Je tends à la rousse les documents qu'elle reprend avec un petit sourire amer.

Je la sens de glace. Quelle différence avec la Deirdre qui, deux jours avant, m'accueillait à poil chez elle. J'ai l'impression de ne plus avoir affaire à la même femme. Et je la vois s'éloigner de mes eaux territoriales à la vitesse d'un engin spatial.

Autant ne pas insister car, à certains regards obliques

que je surprends chez elle, on dirait que je lui fais peur. Malgré tout, elle est trop belle pour que je ne fasse pas une dernière tentative.

— Si nous buvions un verre ensemble, ce soir?

— Rappelez-moi en fin d'après-midi.

Je me lève et elle ne fait rien pour me retenir. Ni un mot, ni un regard. Je traverse l'atelier en évitant d'écraser les débris de vaisselle et soudain, au moment de franchir la porte, je repère accrochée à une patère une casquette de tweed vert et beige qui ne m'est pas inconnue.

Je sais bien que c'est un article de grande série et qu'il s'en porte de semblables sur je ne sais combien de crânes à Dublin. Mais ce dont je suis aussi très sûr, c'est que Michael avait la même sur sa tête pas plus tard qu'hier.

C'est sans doute une simple impression mais lorsque je sors de chez Deirdre Olohan, je ne suis plus tout à fait certain que tout baigne réellement dans l'huile.

Pour chasser ça, je m'autorise quelques arrêts prolongés dans les pubs avoisinant la O'Connell street. Et là, ce n'est pas une simple impression mais une certitude absolue, à trois ou quatre reprises, j'ai l'occasion de repérer une certaine gueule de bouledogue naviguant à distance sur mes arrières.

Vers onze heures et demie, je m'assure que je ne traîne personne derrière moi et je fonce dans la Ford pour reprendre le chemin de Clondalkin. J'y arrive largement à temps pour récupérer Nuala dont une expression d'excitation joyeuse embellit les traits.

Sitôt assise près de moi, elle triomphe :

— Voilà, c'est fait.

— Tout s'est bien passé ?

— A merveille. Vous êtes content ?

— Très. Et nous vous le prouverons dans très peu de temps.

— Je me suis amusée comme une folle, toute la matinée, rien qu'à la pensée de ce que j'allais faire. J'ai eu un peu peur pour les deux premières pierres puis tout a été simple, si simple...

— Et le camion ?

— Il quitte l'usine au début de l'après-midi. C'est un des chauffeurs qui me l'a confirmé.

— Bien, très, très bien.

Tandis que je la ramène chez ses parents, elle bavarde sans arrêt, émoustillée, fière d'elle, répétant dix fois la façon dont elle s'y est prise pour réussir le travail. Dans son exubérance, au moment où je la dépose, elle m'accorde un baiser soutenu que j'aurais préféré recevoir des lèvres de Deirdre mais que sa bouche charnue et fraîche rend, malgré tout, appréciable.

Je rejoins alors le « Capri ». Juste le temps d'apercevoir le Hongrois légèrement titubant autour de ses fourneaux et je grimpe à l'étage où je trouve un Michael de mauvaise humeur que mes bonnes nouvelles ne dérident pas.

— Nathalie ne déjeunera pas avec nous, m'avertit-il, elle est allée faire du cheval à son club. Quant à moi, je te le dis tout de suite, je n'ai pas vraiment faim.

— Moi si.

— Écoute, j'ai des livres de comptes à mettre à jour et c'est urgent. Va donc manger quelque chose au « Lafayette », c'est le restaurant de l'hôtel « Royal

Hibernian », pas loin, d'ici, 48, Dawson street. Je te recommande la grouse rôtie. Je te rejoindrai là-bas.

— Ne tarde pas surtout. Nuala a bien spécifié que le camion doit partir tôt.

— Et quel est ton plan ensuite?

— Le même que nous avons établi, hier soir. Nous suivons le véhicule jusqu'à l'embarcadère des docks. On s'assure que le chargement s'effectue correctement, on se renseigne sur le port d'arrivée en France et on file, tous les deux, à l'endroit en question attendre la cargaison. On loue une voiture et on fait un brin de conduite au camion qui aura repris le fret en charge. Une fois à Paris, on visite l'entrepôt, on récupère ce que tu sais et je n'ai plus qu'à aller présenter mes hommages à Mme Reine.

— Que la Providence soit avec nous.

— Elle le sera.

J'ai peut-être trop parlé. A l'instant où je finissais la dernière bouchée d'une tarte tenant du miracle, Michael est bien venu me retrouver au « Lafayette » et immédiatement nous avons gagné Clondalkin, très en avance sur notre horaire.

N'ayant pas à nous dissimuler, nous garons la Ford aux abords mêmes de l'entrée de l'usine dont la sirène annonçant la reprise du travail retentit quelques minutes plus tard.

Par groupes ou isolément, nous voyons des ouvriers et des employées pénétrer dans la cour, plantée de massifs de fleurs et disparaître dans les bâtiments. Mais lorsque les derniers retardataires franchissent les grilles, nous n'avons toujours pas vu trace de la broussaille carotte de Nuala.

XIX

Il faut bien se rendre à l'évidence. Nuala n'a pas regagné son travail, cet après-midi. Je suis inquiet.

— Et si cette petite garce m'avait mené en bateau? Que tout ce qu'elle m'a raconté ne soit qu'un énorme bobard et qu'elle ait étouffé nos pierres purement et simplement?

Michael se montre plus optimiste sur ce point.

— Impensable. Je l'ai eu des mois et des mois au « Capri », elle n'aurait pas fait tort d'un penny au tiroir-caisse.

— Entre un penny et la somme que représentent ces cailloux, il y a une sacrée marge, Michael.

Il secoue la tête.

— Non. J'ai confiance en elle. Si elle n'est pas revenu travailler, c'est tout simplement qu'avec la petite avance que je lui ai donnée, elle aura voulu se distraire un peu. A moins qu'elle n'ait eu peur...

— Peur de quoi? De qui?

— De ce qu'elle avait fait. Après tout, elle n'a que dix-neuf ans, c'est encore une gosse.

— Elle ne m'a pas donné l'impression d'une fille trouillarde.

— La trouille, sait-on jamais comment et pourquoi ça se déclenche ? Parfois ...

Il s'interrompt soudain et pose sa main sur mon bras.

— François, le camion !

— Je vois.

Le gardien a ouvert toutes grandes les grilles et un énorme véhicule, haut sur roues, portant sur ses flancs la marque « John Power », franchit les limites de la cour.

Michael sifflote.

— Bel engin. Au moins quarante pieds de long et tout chargé, il doit bien faire ses vingt-cinq tonnes. Parrain, tu sais à quoi je pense ?

— Non...

— D'après ce que nous a dit Nuala, il y a neuf cents cartons par chargement et chaque carton, tous droits compris, vaut à peu près trente livres. Alors, notre collier mis à part, ce que tu vois rouler sous tes yeux peut se chiffrer à vingt-sept mille livres... un peu plus de quarante-trois millions de tes anciens francs.

— Ne te fatigue pas la tête. Tu n'as pas l'intention de t'offrir la cargaison tout entière, non ?

— Je calculais, c'est tout.

— Pour un Irlandais, tu calcules beaucoup.

— C'est Nathalie qui m'a donné le goût des chiffres.

— Tiens...

La minotte doit tenir ça de sa pute de mère qui avait une machine à calculer dans le crâne et un compteur kilométrique dans sa boîte à ouvrage. L'hérédité, hein ?

Mais nous finissons par nous taire, tous les deux

fascinés par le poids lourd , qui roule mollo mollo dans cette banlieue campagnarde aux verts tendres.

Je laisse simplement tomber au bout de quelques minutes.

– Si ces cons-là pouvaient se douter de ce qu'ils transportent...

Michael m'approuve de la tête, avec un sourire de connivence.

Un sourire qui s'efface brusquement de son visage.

Le camion vient de s'arrêter, bloqué par la voiture de livraison d'une boucherie qui, après avoir dépassé notre Ford, s'est mise en travers de la route. Et de cette voiture, ont aussitôt surgi deux hommes, pistolet au poing, qui se sont rués sur la cabine du mastodonte.

Ça s'est réalisé en un éclair. Pas assez vite malgré tout pour m'empêcher de reconnaître les deux braqueurs.

– Walsh ! s'écrie Michael, à côté de moi. C'est Walsh !

– Et l'autre, c'est Bouledogue, mon inséparable. Eh bien, merde, ils sont gonflés.

Je commence à penser que j'avais légèrement sous-estimé le book, en le considérant uniquement comme un petit traficoteur, paniqué par ma réputation de flingueur.

Nous n'avons rien vu de ce qui a pu se passer à l'intérieur du camion, par contre, un résultat est certain, c'est que le gros cul dont le volant a dû changer de mains, se met à repousser sans ménagements sur le bord du chemin la voiture rouge sang décorée d'une tête de bœuf et, la voie étant libre, fonce à une allure n'ayant plus rien de comparable avec celle des employés de chez « John Power ».

— Les porcs fétides ! grince Michael. Ils nous ont eus.

— Pas si vite. C'est pas encore joué. Il va bien falloir qu'ils conduisent la cargaison quelque part et certainement pas aux docks. Alors, on aura peut-être notre mot à dire. Si seulement on avait de quoi se faire écouter.

— Moi, j'ai, fait Michael.

— Tu es armé?

Il sort de l'intérieur de son trench-coat un P. 38 que je salue comme un vieil ami.

— Michael, tu me fais plaisir. Jamais je n'aurais cru...

Le mari de Nathalie cligne de l'œil.

— Je ne tenais pas à ce qu'il nous arrive le même coup que l'autre nuit, au manoir. Alors, à tout hasard, j'ai pris mes précautions.

— Michael, tu es mon fils.

Je me serais attendu à plus d'enthousiasme de sa part mais je dois me contenter d'un petit sourire presque protecteur. Passons.

En attendant, le camion, au lieu de continuer à rouler vers Dublin, emprunte un chemin de traverse ce qui semble indiquer que le conducteur actuel a l'intention de contourner la ville.

— Ils filent vers l'ouest, observe Michael. Ils doivent avoir un coin sûr, en pleine campagne où garer la marchandise. Tu crois qu'ils nous ont repérés?

— Il y a des chances et plus que des chances.

— Mais alors, si on leur colle au train, ils vont chercher à nous liquider?

— Que crois-tu qu'ils vont faire des deux types qu'ils ont trouvé dans le camion?

— Je savais que Walsh était un affreux salaud, mais à ce point...

— Michael, lorsqu'il y a en haut du mât de cocagne autant de fric qu'en ce moment, le sens moral se dégrade vite.

— Tais-toi, prédicateur. Enfin, le Seigneur ne peut, tout de même, pas éprouver le moindre sentiment d'indulgence pour un bâtard comme Sean Walsh.

— Ton Seigneur s'il existe, Michael, il se fout bien de nous, de nous tous, tant qu'on est, des uns comme des autres. Ton Seigneur, il rigole. Un point c'est tout.

Ça plonge le mari de Nathalie dans un abîme de méditation silencieuse. Il continue néanmoins à serrer de près le poids lourd. Nous avons maintenant dépassé depuis un bout de temps les dernières maisons du faubourg ouest de Dublin et nous roulons en pleine campagne.

— Nous venons de pénétrer dans le comté du Kildare, finit par observer Michael.

— Il faudrait peut-être ne pas trop tarder à intervenir. Parce qu'ils risquent d'un moment à l'autre d'arriver à leur point de chute où nous avons, nous, de grandes chances de tomber sur du renfort qui les attend.

— Mais intervenir comment?

— Les grands moyens. Passe-moi ton calibre.

Il n'y a pas trente-six solutions et l'endroit est suffisamment désert pour qu'on puisse mener à bien l'opération que j'ai en tête. Puisque, de toute façon, l'embarquement en douceur pour le continent est maintenant hors de question, le mieux est de parer au plus pressé et de récupérer les deux cartons contenant les bouteilles aux capsules trafiquées par Nuala. Ensuite, on avisera.

J'abaisse la vitre, me penche à la portière, P. 38 au poing et calmement, posément, vide le chargeur entier dans le pneu arrière gauche du camion. Le lourd véhicule, en pleine vitesse, dérape, cahote, effectue une énorme embardée qui le fait pencher dangereusement, zigzague sur une vingtaine de mètres et finit par s'immobiliser en travers du chemin.

Nous voyons surgir d'une des portières de la cabine, Walsh, brandissant un revolver à barillet. Il se laisse glisser le long du flanc du camion et se gare à l'abri des pneus jumelés de droite, à l'avant. Une cinquantaine de mètres nous séparent de lui. Après que j'ai tiré, avec Michael, nous sommes sortis de la Ford arrêtée sur un des bas-côtés de la route et nous nous sommes planqués derrière notre voiture.

J'interroge Michael.

— Tu as d'autres chargeurs?

Il fait un signe négatif.

— Alors nous sommes frais, je conclus, tandis que Walsh nous tient sous son feu, l'autre ordure est peut-être sortie de la cabine sans qu'on le repère et va nous tomber sur les épaules, après avoir effectué un mouvement tournant dans les champs.

— Ils doivent être aussi emmerdés que nous, avec leur camion inutilisable. A supposer qu'ils sachent comment récupérer les cartons où se trouvent les pierres...

— N'en doute pas, ils le savent.

— Possible, mais ça va leur demander du temps pour décharger la cargaison. Et comme ils ignorent que nous n'avons plus de munitions, ils vont être obligés de s'y prendre avec des pincettes... et ils repartiront comment? A pied?

— Tout bonnement avec ta voiture s'ils parviennent à nous éliminer.

— Quant à ça, c'est à voir.

Au même instant, nous entendons des meuglements juste derrière nous et un troupeau d'une trentaine de vaches occupe toute la largeur du chemin. De ces vaches irlandaises qui, comme les moutons, ont l'habitude de se promener sans chiens ni pâtres. Des bêtes obstinées, lentes, imbues de leur priorité absolue. La terreur des conducteurs.

Mais, à l'instant présent, j'ai l'impression que ces ruminants vont peut-être nous sauver la mise.

— Baisse-toi, je lance à Michael, courbe-toi en deux et fous-toi au cul d'une vache.

— Non mais ça va pas?

— Fais ce que je te dis.

Il commence sans doute à saisir mon intention car il s'exécute. Nous nous glissons tous les deux, en plein milieu du troupeau qui avance en rangs serrés, semant derrière lui des bouses fraîches.

Lentement mais sûrement, nous progressons vers le camion Guy, sans que de là-bas, on puisse être repérés.

Le seul point gênant c'est qu'à marcher à tout petits pas, cassé en deux, je commence à ressentir de méchantes douleurs dans les reins. Michael, lui, qui porte vingt ans de moins que moi, dans les lombes, paraît n'éprouver aucune difficulté. En dehors du fait d'avoir le nez régulièrement balayé par les coups de queue de son bovin.

Encore un peu de patience et nous allons tomber sur le râble de Walsh avant qu'il ait eu le temps de réaliser ce qui lui arrivait.

Quant au bouledogue, il est toujours invisible.

Nous arrivons à la hauteur de l'arrière du poids lourd devant lequel le flot des vaches se fend en deux, sans cesser d'aller de l'avant. Et tout à coup, nous nous trouvons presque nez à nez avec Sean Walsh, coincé contre son pneu. Gêné par une vache énorme, il ne peut dégager ses bras alors que nous, qui progressons dans le sens du courant, lui dégringolons dessus sans problème.

Emportés par notre élan, nous roulons tous les trois entre les pattes des bêtes qui ne s'affolent pas pour ça. Par contre, elles se mettent à foncer droit devant elle, en cavalant, lorsque Walsh appuyant sur la détente de son barillet, lâche au hasard quelques balles qui vont se perdre dans les ridelles du camion.

Mais, inconstestablement le book est plus souple qu'il n'en a l'air, il est salement vicieux et il sait se battre. Au moment où Michael le saisissait à la gorge à deux mains, l'autre lui a décoché un féroce coup de genou dans le bas-ventre qui a arraché un hurlement au mari de Nathalie tandis qu'il s'écroulait à la renverse au milieu des dernières vaches du troupeau, en pleine panique.

Walsh se retourne vers moi, serrant son pistolet

par le canon, prêt à m'assommer à coups de crosse. J'esquive la première volée et plonge pour plaquer ce porc aux jambes. Il trébuche mais trouve, malgré tout, le temps de me pilonner les sourcils de son talon. J'ai une sorte d'éblouissement et lorsque je rouvre les yeux, une seconde plus tard, je suis surpris de constater que Walsh, rétabli sur ses jambes, n'ait pas mis à profit le délai pour m'achever.

L'instant suivant, je comprends pourquoi, en sentant dans mon dos le contact dur d'une arme.

— Sois calme, fait une voix qui ne m'est pas inconnue, tourne-toi tranquillement, les mains en l'air.

Je pivote sur moi-même et me trouve face à face avec le dogue qui porte sur le front une bosse de la taille d'un œuf de cane. Du coup, je saisis les raisons de son absence momentanée. Un des soubresauts du camion a dû plus ou moins l'assommer, le mettant hors jeu pour un bout de temps. Hélas, le revoilà, peut-être pas très frais mais bien disposé à ne pas me faire de cadeau.

— Je savais qu'on finirait par se retrouver, ricane-t-il. Et que j'aurais l'occasion de te faire payer la mort de Seamus Kevin. Seamus c'était mon ami presque mon frère et, par ta faute, jamais plus nous ne pourrons vider une pinte ensemble.

— Je n'ai pas tué ce type.

— Laisse-le dire, lance Walsh à son complice tout en regarnissant le barillet de son arme. De toute façon, ce qu'il peut raconter ou rien, c'est pareil. Occupe-toi plutôt de l'autre fumier. Les mains en l'air, lui aussi, et sage, hein.

Michael, très pâle, s'est redressé mais il ne semble pas très solide sur ses pattes, et se tient le bas du ventre à deux mains. Lorsqu'il les retire pour les porter à la hauteur de ses oreilles, il ne peut retenir une grimace de douleur.

— Bien, dit Walsh, et maintenant, vous allez décharger ce camion en vitesse et sans broncher, sinon... Toi, Kavannagh, grimpe le premier et déligote les deux autres connards. Ils vous aideront.

Tandis que Michael se hisse dans la cabine puis plonge à l'intérieur du mastodonte, je hasarde une question :

— Walsh, on a perdu, on a perdu. Je sais payer. Mais je voudrais te demander quelque chose.

— Vas-y toujours.

— Comment as-tu appris que les diamants de Cynthia Mulcahy se trouvaient dans ce camion? Par qui l'as-tu appris?

Un rire de vanité plisse sa face et il se frappe le front de l'index.

— Tout simplement parce qu'il y a autre chose que de l'eau tiède, là-dedans. Après t'avoir vu chez Deirdre Olohan, je n'étais plus certain du tout que tu sois un tueur. Les flingueurs, je sais les renifler, j'ai vécu longtemps à Chicago et toi, tu n'as pas l'odeur du sang sur toi. J'ai rappelé mes amis de la Côte d'Azur pour leur reparler de toi. Et ils ont rectifié leurs premiers tuyaux. Ça m'a permis d'apprendre qui tu étais vraiment. Ou plutôt qui tu avais été dans le temps. Le roi des casseurs de coffres. Alors là, il aurait fallu que je sois totalement stupide pour ne pas faire le rapprochement avec la disparition du collier de la

Mulcahy, chez qui, les journaux le drécisaient bien, la police avait découvert l'attirail le plus au point qui existe, à cette heure, pour se farcir du blindage. Conclusion, c'est toi qui avais les pierres. A partir de ce moment, Michael et toi, avez constamment charrié dans votre sillage, l'un ou l'autre de mes amis.

— Tu n'avais pas attendu ça.

Il sourit et esquisse un geste négligent de la main.

— Oh, avant, c'était autre chose. Kavannagh avait fini par me devoir des sommes considérables et il ne mettait aucune bonne volonté à s'acquitter de ses dettes. Bien au contraire, s'il fallait en croire ce que Janos, son cuisinier, racontait à qui voulait l'entendre dans les pubs, ce cher Michael attendait un de ses amis français pour me régler mon compte. Il était quand même normal que je prenne quelques précautions. Normal et prudent. En ce qui vous concerne, vous ne pouvez pas me reprocher de ne pas m'être montré conciliant et compréhensif. Tout ce que je voulais c'était vous dissuader de...

— Je sais, je sais. Et de faire enlever la femme de Michael était aussi un acte de dissuasion je suppose?

Il me fixe, avec un air d'incompréhension.

— Je ne vois pas du tout ce que tu veux insinuer. Quant au reste, figure-toi que j'ai trouvé anormal que tu puisses préférer passer un après-midi à visiter une distillerie de whiskey plutôt qu'en compagnie d'une jeune femme ravissante.

— Qui t'a dit ça?

— Mais cette charmante Deirdre, en personne.

Il n'a pas le loisir d'ajouter un mot de plus. A la seconde, une série de détonations ont ébranlé l'air et le book s'affaisse à mes pieds, le nez dans la poussière du chemin tandis que son acolyte qui surveillait Michael et les deux employés de la distillerie, en train de descendre de la cabine, pousse un cri, lâche son arme et porte à son épaule droite une main qui devient vite rouge de sang.

Je me retourne et qui je vois surgir d'entre les hautes herbes de la prairie voisine? Nathalie et le Hongrois, chacun armé d'un automatique.

Ma filleule se précipite vers Michael qui la serre entre ses bras et lui embrasse les cheveux.

— Nathalie... Nathalie... mais comment es-tu là? Magnifique... merveilleux...

Nathalie lève vers lui un visage tendu sur lequel un sourire a du mal à se dessiner puis elle se tourne vers moi, avec dans les yeux une expression que je ne leur avais jamais vue.

A cet instant, elle a pris une étrange ressemblance avec son père, le pauvre Xavier.

— Lorsque je vous ai su partis pour Clondalkin, en début d'après-midi, j'ai eu un mauvais pressentiment. La nuit dernière, j'avais fait un rêve qui ne m'avait pas plu et, depuis, ce matin, j'étais inquiète. Alors, j'ai demandé à Janos de m'accompagner, j'ai loué une voiture et nous vous avons filés... oh, de suffisamment loin pour que vous ne puissiez pas nous repérer. La suite, vous la connaissez.

En souriant franchement cette fois, elle glisse entre les mains de Michael son arme, un certain pistolet sept-soixante-cinq à crosse de nacre qui n'est pas un inconnu pour moi.

— Tiens, Michael, prends, je n'en aurai plus besoin.

Elle n'a pas achevé sa phrase qu'un des employés hurle brusquement :

— Beware! Beware!

A l'instant même, nous avons tous compris et nous nous plaquons au sol. Profitant de notre inattention de quelques secondes, le bouledogue vient de dégoupiller une grenade avec ses dents et l'a balancée sur l'avant du camion.

Puis c'est l'explosion et l'incendie. En peu de minutes, le gros cul et son chargement ne sont plus qu'un brasier d'où jaillissent, avec de sourds ronflements et des crépitements, des gerbes d'étincelles et de longues flammes bleuâtres.

Il n'y a rien à faire, rien à tenter. Aucun carton ne sera préservé. Tout crame, tout brûle, tout se carbonise.

Les deux employés, Nathalie, son mari, Janos, le bouledogue et moi, avons rampé jusqu'à l'autre bord de la route et nous sommes relevés, à demi hébétés devant la rage du feu. Seul Walsh est resté sous le camion.

— Pourquoi as-tu fait ça, je hurle brusquement en secouant le fumier par son bras valide, avec une sorte de fureur. Nous aurions pu encore nous arranger...

— Non, fait-il, j'ai vu tomber Sean. Il avait une balle en plein front. Quand on a perdu ses meilleurs amis, il n'y a plus d'arrangement possible avec qui que ce soit. Estime-toi encore heureux que je n'ai pas jeté mon engin sur vous tous.

Je le lâche, avec un haussement d'épaules, et m'adresse aux autres :

— Maintenant, il faut filer et vite.

— Et nous qu'est-ce qu'on va faire? questionne un des employés.

— Ce que vous voudrez. Ne vous plaignez pas, vous auriez pu vous en tirer plus mal.

— On sait bien, on vous remercie mais tout de même...

— Vous nous remercierez en oubliant totalement qui nous sommes et ce qui s'est passé, tout au moins en ce qui nous concerne. Affaire politique... très graves conséquences pour vous, tout en premier, si vous vous montrez bavards.

— On comprend. Et lui, le lanceur de grenade?

— Un bon conseil, laissez-le... le ramener à la police vous vaudrait en définitive plus d'ennuis que d'avantages. Lui aussi saura fermer sa gueule, s'il tient à la conserver intacte.

Avec ma filleule, Michael et le Hongrois, nous tournons le dos au camion qui continue de flamber et nous nous dirigeons vers la Ford.

— Notre voiture est un peu plus loin, observe Nathalie.

— Que Janos la ramène à son garage, dit Michael, allez montons.

Le couple s'installe devant et je me carre sur la banquette arrière. On démarre et quelques instants plus tard, nous dépassons une Volkswagen noire, arrêtée auprès d'un boqueteau. C'est vers elle que se dirige Janos.

Tandis que nous reprenons le chemin de Dublin, Michael paraît soudain accablé :

— Ça ne valait pas la peine, murmure-t-il, non ça ne valait vraiment pas la peine de se donner tant de mal pour en arriver là.

— En tout cas, tes dettes à l'égard de Walsh sont éteintes, c'est déjà un résultat, lui fais-je remarquer.

— Éteintes, j'apprécie le terme, ricane-t-il.

Quant à moi, je ne suis qu'à moitié rassuré. Il y a encore trop de points qui me paraissent confus et glandouillards dans cette foutue histoire pour que je n'ai pas à craindre qu'il existe encore quelque part une bombe à retardement susceptible de nous éclater au pif au moment où l'on s'y attendra le moins.

Et j'estime avoir quelques questions à poser.

— Dis-moi, Michael, je t'ai toujours considéré en tant qu'Irlandais comme quelqu'un d'assez original mais je ne pensais pas que ça pouvait aller si loin...

— Si loin?

— Au point d'avoir du sang de lapin dans les veines.

— Comment?

— J'ai pris la peine de soumettre à un laboratoire, le mouchoir qui m'avait servi à éponger ton saignement de nez, le jour de ton agression. Tu veux connaître le résultat de l'analyse? Il s'agit vulgairement de sang de lapin. Alors?

Il rougit jusqu'aux lobes des oreilles et je poursuis :

— Quand à toi, Nathalie, que tu sois payé la tête de ton mari et la mienne par la même occasion. Je n'aime pas ça.

— Voyons, parrain...

— Laisse-moi parler. J'ai encore certaines choses à te dire. Que tu t'envoies en l'air avec le cuisinier de Michael, c'est ton affaire mais que ça te conduise à de dangereuses conneries, c'est autre chose.

Cette fois, c'est Michael qui proteste :

— Tu deviens fou, François? Je ne te permets pas d'insulter ma femme.

— Ta femme est ma filleule. Et puisque son père n'est plus là pour lui tirer les oreilles, il faut bien que je m'en charge.

— Nathalie et Janos... ah, non, c'est trop ridicule...

— Mais dis au moins ce qui te permet d'avancer ça? crie Nathalie, hors d'elle. Tu l'as rêvé ou tu consultes les tireuses de cartes?

— Nieras-tu qu'alors que tu étais soi-disant séquestrée, tu circulais dans Dublin au volant de cette même Volkswagen de location que Janos est en train de ramener au garage? Qu'il a, d'ailleurs, déjà précédemment reconduite après qu'elle ait servi à je ne sais encore trop quel usage?

Je vois dans le rétroviseur le visage de la gosse se crisper et celui de son mari s'assombrir encore davantage.

— Le soir où nous sommes revenus de Glendalough, lorsque Janos est rentré, en nous racontant une histoire de cornecul, il avait sur l'épaule de son veston un de tes cheveux, Nathalie.

— Tu ferais mieux de ne pas parler de cette nuit-là, parrain, explose la minotte. Si je n'étais pasi ntervenue, à l'heure actuelle, Michael et toi reposeriez dans un joli cercueil capitonné.

— Quoi?

— Qui supposes-tu qui a surgi sur une moto et a abattu Kevin à l'instant où il se préparait à vous liquider?

Voleur de Dieu! C'était elle. Le sang du pauvre Xavier qui a parlé. Mais je la laisse continuer à vider son sac.

— Il faut que je te dise. Le soir de votre expédition, je mourais d'envie d'en être... alors, j'ai loué une voiture et je vous ai suivis de loin.

— C'est une manie, chez toi, décidément.

— Plains-t-en. Je suis entrée dans le manoir et j'ai vu ce Kevin qui était arrivé en moto emmener Janos dans le parc et le ligoter puis rappliquer avec vous, masqué et monter dans la Ford. Je suis alors allée libérer Janos, j'ai enfourché la moto de l'autre, et, pensant qu'il risquait de se produire de la casse, je vous suis partie au train, du plus vite que j'ai pu. Tu as assisté à la suite. J'ai abandonné la moto près de Phoenix Park. De son côté, Janos a ramené à Dublin la Volkswagen. Et s'il avait un de mes cheveux sur lui, c'est tout simplement parce que j'ai dû le perdre en le débarrassant de ses liens. Voilà.

— Ouais. En tout cas tu tires juste et vite. Ton pauvre père serait fier de toi. Maintenant, j'aimerais bien que tu m'expliques comment, ayant été soi-disant kidnappée, tu as pu être si bien au courant de nos projets à Michael et à moi et aussi pourquoi tu te déplaçais aussi facilement. On t'avait donné une permission ou quoi?

— Parrain, on te demande pardon.

Michael et ma filleule échangent un coup d'œil assez piteux, font le même signe de tête, puis Nathalie se retourne vers moi :

— Pardon pour tout. Autant te dire la vérité puisque tu finiras bien par la découvrir ou t'en douter. Déjà tu brûles. Eh bien, il n'y a pas un mot de vrai dans toute cette histoire d'enlèvement. N'en veux pas à Michael, c'est moi qui ai eu l'idée de tout. Ce pauvre

Mike avait tant d'ennuis d'argent et cette Cynthia Mulcahy exhibait avec trop d'insolence ses diamants. De la provocation. Alors j'ai pensé à toi. Mais comme je savais qu'il ne suffirait pas de te faire un sourire pour te décider à... intervenir, j'ai envisagé le reste pour te forcer un peu la main. Par affection pour moi, j'étais sûre que tu ferais n'importe quoi. Tu es un parrain extraordinaire.

– Pas de flatteries. Mais comme reine du coup fourré, toi chapeau. Les coups de fil à Solange, l'oreille de cire et tutti quanti, alors, c'était manigancé par vous ?

– Il fallait te convaincre à tout prix, tu comprends, Brouiller les cartes au maximum. Janos était dans le coup, bien sûr, mais, crois-moi on peut lui faire confiance. A tous points de vue. Et si j'ai accusé Kevin de m'avoir enlevée c'est qu'il ne risquait plus de me démentir. Maintenant, tu sais tout. Tu ne nous en veux pas trop ?

– Je te dirai ça demain. Laisse-moi le temps d'y penser.

– Demain, nous irons chasser la bécasse dans le Wexford, dit Michael.

Nous venons d'entrer dans Dublin et nous nous dirigeons vers la pizzeria. Nous croisons un fourgon noir et Nathalie sourit :

– Nous sommes tout de même mieux ici que dans la « black Maria » ?

– La « black Maria » ?

– Le panier à salade.

– Assez , fille de ton père.

Nous nous arrêtons devant le « Capri » et sitôt entrés, une des blondes, Kathleen, me tend un message. Un télégramme de Cannes.

« J'arrive. Baisers. Ta Solange »

Je le roule en boule dans la poche de mon poil de chameau et tend la main vers Michael.

— Le sept-soixante-cinq que t'a remis Nathalie. Donne. Je me méfie des flingues qui ont déjà tué deux fois. A tout à l'heure. Je serai là pour le dîner.

J'empoche l'outil sors du « Capri » et remonte dans la Ford. Dix minutes plus tard, je débarque chez Deirdre.

Cette fois, elle est de nouveau nue devant son chevalet, tous poils à l'air. Mais à l'expression qu'elle a pour m'accueillir, je comprends tout de suite, que je ne suis pas précisément le bienvenu. Aussi, je ne prends pas de gants pour attaquer :

— Deirdre, seulement quelques questions à vous poser. C'est bien vous qui avez averti Walsh de ma visite à la distillerie John Power?

— Oui et je vais vous dire pourquoi... et aussi m'excuser auprès de vous, pour vous avoir raconté un énorme mensonge. Toute cette histoire de chantage aux photos a été inventée par Michael. Mon seul tort a été de lui obéir. Mais j'étais si folle de lui... depuis si longtemps. Alors lorsqu'il m'a demandé de me montrer un peu... coquette avec toi, je n'ai pas pu lui refuser. Bien entendu l'argent je ne l'aurais pas accepté puisque tout ça n'était qu'une plaisanterie, selon Michael. Tu vois?

— Oh, je vois, je vois.

Elle met un rien de défi dans le rire qu'elle laisse fuser de ses lèvres.

— Les photos ont bien été prises par Tchin-Tchin O'Hara mais j'étais consentante, François, totalement consentante.

— Même pour qu'elles soient trafiquées par ton ami Walsh?

Elle hausse les épaules.

— Je n'ai jamais pu souffrir Nathalie. Et si tu veux tout savoir, c'est moi qui lui ai, un jour chez elle, volé le foulard Dior pour l'offrir à Tchin-Tchin.

— Je m'en serais douté.

— Ce que tu ignores c'est qu'elle est venu ici me faire une scène. Une vraie tigresse. Elle m'a griffée à la joue, j'en porte encore les marques. J'ai pris mon pistolet pour l'impressionner mais elle me l'a arraché et est repartie en me crachant au visage. Michael est venu le lendemain et il s'est montré très froid, j'ai compris qu'il n'y aurait jamais plus rien entre lui et moi, alors je n'ai plus pensé qu'à me venger. Je savais qu'il manigançait quelque chose de trouble et Walsh m'avait posé des questions. Lui et ses amis ont repéré une fille aux cheveux carotte à laquelle vous vous intéressiez, ils l'ont amenée ici, ce midi, et ils l'ont fait parler. Ce qu'elle a pu dire, je n'en sais rien. Ils m'avaient demandé de sortir. Voilà c'est tout. Maintenant, soyez gentil, laissez-moi continuer à travailler.

Oh, je la laisse. Bye-bye, Deirdre!

Je quitte l'atelier et oblique vers O'Connell street. Ce soir sans doute, Solange sera là et demain avec Michael, nous irons chasser la bécasse. Le sept-soixante-cinq va échouer au fond de la Liffey et tout rentrera dans l'ordre.

Je descends la grande avenue et passe devant l'Hôtel

des Postes qui, en 1916, le jour de Pâques — je lis les guides — servit de quartier général aux insurgés. Et en évoquant une fois encore, la dernière, les somptueuses rousseurs de Deirdre, je murmure entre mes dents.

— On est toujours trop con avec les femmes.

FIN

PARUS OU À PARAÎTRE
DANS NOTRE COLLECTION **PUNCH**

ÇA CRAINT LE SOLEIL	Ed LACY
UN LION DANS LA CAVE	Pamela BRANCH
TU SERAS LE PLUS RICHE DE TON CIMETIÈRE	Richard BALDUCCI
CRASH TOUS RISQUES	John GRAHAM
SANS BISCUITS	Tom WICKER
LA BALLE DANS LE BALLET	Caryl BRAHMS - S.J. SIMON
LA TÊTE À L'OMBRE	James McKIMMEY
L'ŒIL DE L'AIGLE	Dernot O'CONNOR
LA RIBOULDINGUE	Ange BASTIANI
MARÉE ROUGE	Lionel BLACK
RATAFIA DE ROSES	Ange BASTIANI
DE QUOI FOUETTER UN CHAT	Estelle THOMSON
TANT QU'ON A LA SANTÉ	Elizabeth FENWICK
LE 31 FÉVRIER	Julian SYMONS
NOBLESSE PAR EFFRACTION	John BOLAND
ALARME BLANCHE	Jack WEBB
NID DE RATS	Steve BRACKEEN
LES HEURES OUVRABLES	Francis RYCK
LE MABOUL	Ange BASTIANI
LES SIGNES DE ZODIAC	Dan LEES
ÉTOILE ROUGE SUR LONDRES	David ROLAND
COUP DE CHIEN	Ann McCAFFREY
LE CADAVRE QUI SE DÉPLACE	Frank GRUBER
TROIS PETITS TOURS	M.I. QUANDOUR
DANS LE CIRAGE	Joe RAYTER
LE DOCUMENT DE VARSOVIE	Adam HALL
CERCLE VICIEUX	Bill TURNER
LES MORTS FONT DES BULLES	Clayton MATTHEWS
L'AI-JE BIEN DESCENDU ?	Pamela BRANCH
LA FOLLE BERCEUSE	Charlotte ARMSTRONG
UN GRAND MONSIEUR BRUN	Anne CHAMBERLAIN
NATURE MORTE AUX CHÂTAIGNES	Francis RYCK
C'EST QUELQU'UN !	Dan LYNCH
PENSION MANDRAGORE	Irving SHULMAN
UNE CADILLAC EN MORTS MASSIFS	William NOLAN
ATOUT LOVE	James LEASOR
PAGAILLE NOIRE	René MOURIC
MICMAC À MIAMI	John D. MacDONALD
IL COURT, IL COURT LE VIRUS	Lionel BLACK
PAVANE POUR UN CATCHEUR DÉFUNT	Christian GODARD
ATOUT RISQUÉ	Patricia McGEER
MISSION JAUNE CONTRE LOTUS ROUGE	Paul DELIGNY
FANTASIA CHEZ LES HELVETES	Fernand BERSET
À PÂQUES OU À LA TRINITÉ	René DERAIN
LA MINEURE EN FUGUE	Ross MacDONALD
LE PETIT CHAT EST MORT	Jean POTTS
UN TOUR DE VICE	Bradshaw JONES
LE REGISTRE	Dorothy UHNAK

PARUS OU À PARAÎTRE
DANS NOTRE COLLECTION **PUNCH**

GRENADES ET ORGUES À AKABA	Sally SINGER
DU SANG DANS LES VOILES	Ange BASTIANI
LA MORT À L'AVEUGLETTE	Desmond BAGLEY
UNE COLLECTION DE TIMBRÉS	Owen SELA
LA FRONTIÈRE PERDUE	Stephen COULTER
BUT À LA MORT	Eliot ASINOF
L'HOMME DANS LE MIROIR	Frederick AYER
HOMBRE AU SOLEIL	Whit MASTERSON
TOUTES GRIFFES DEHORS	Ange BASTIANI
LES INCANDESCENTES	Paul GERRARD
LA CHATTE SUR UN TOIT GLISSANT	Mignon G. EBERHART
QUAND LE VIN EST TIRÉ	André SIVERGUE
LAVAGE DE CERVEAU	Pierre SALVA
Mrs POLLIFAX FAIT LA BOMBE	Dorothy GILMAN
LE DIAMANT DE DRESDE	Nicolas FREELING
ON ÉCRASE !	Paul DELIGNY
À QUI PERD MEURT	William NOLAN
LE CONTRAT DE L'ANGE GARDIEN	Paul GERRARD
LES PROFESSIONNELS	James BUCHANAN
COUPS FOURRÉS	James GRAHAM
PUZZLE	Michel COUSIN
LA MORT MÉDECIN	Michel COUSIN
L'IMPOSSIBLE SOSIE	Hampton STONE
LE PAS DES LANCIERS	Paul GERRARD
UN FANTÔME EN PAPIER	André SIVERGUE
DES ÉTOILES FILANTES	Ange BASTIANI
TU L'AS CHERCHÉ	James MAYO
LE DOSSIER STRIKER	Adam HALL
LA PUCE À L'OREILLE	Michel COUSIN
NUIT NOIRE	Michel COUSIN
DÉTOURNEMENT DE MINEURES	Michel COUSIN
LA VOIX DU SANG	Michel COUSIN
LE PRISONNIER ESPAGNOL	Frank GRUBER
LA DERNIÈRE DANSE	Frank GRUBER
PASSEPORT POUR UN PÈLERIN	James LEASOR
CIRCUIT INFERNAL	Paul GEDDES
SI CE N'EST TOI	Michel COUSIN
LA MARMITE DU DIABLE	Michel COUSIN
MON CURÉ CHEZ LES ESPIONS	Paul DELIGNY
DEUIL EN MARRON	John D. MacDONALD
CERTAINS L'AIMENT FROID	Joyce PORTER
VACHES DE LOISIRS	James LEASOR
ALLÔ, ALI !	Paul DELIGNY
IL N'Y A PAS DE CHEVAL DANS LE JURY	I. - S. KAREN
LE CADAVRE AUX FLEURS	Michael AVALLONE
LA SUCCESSION VALENTINE	Stanley ELLIN
LA CORDE RAIDE	Desmond BAGLEY
LA VOIE DU CRIME	Margareth ECHARD

POUR LES VRAIS AMATEURS DU GENRE,
ARTIMA A SÉLECTIONNÉ LES MEILLEURES
BANDES DESSINÉES D'ESPIONNAGE
TTX 75
COMICS POCKET
Lecomte
COPLAN
Suzuki
RICHARD DRAGON
FACE D'ANGE
FLASH ESPIONNAGE
LA LOUVE
le Vicomte
GAUNCE
OSS.117
Sam et Sally
MLP
Nick Carter
Canberra
CALONE
PETITJEAN

Pour les vrais amateurs du genre
ARTIMA a sélectionné les meilleures bandes dessinées pour adultes.
COMICS POCKET
AVENTURES FICTION
ECLIPSO
La Maison du MYSTÈRE
ÉTRANGES AVENTURES
ANTICIPATION
KAMANDI
ATOMOS
Sidéral
BRÛLANT
VENGEUR
CLAMEURS
HALLUCINATIONS
CHOC
MLP
DRACULA
L'INATTENDU
SATAN
FRANKENSTEIN
IL EST MINUIT...
LE MANOIR DES FANTÔMES
SPECTRAL

UN HOMME EST PRISONNIER
D'UNE MALÉDICTION
DÉCOUVREZ L'IDENTITÉ
DE CELUI QUI SE CACHE
DERRIÈRE LE MASQUE
D'ÉTRIGAN
EN LISANT
DEMON
LIVRE DE BANDES DESSINÉES DE
LA COLLECTION COMICS POCKET
EN VENTE CHEZ
VOTRE FOURNISSE HABITUEL.
COMICS
POCKET

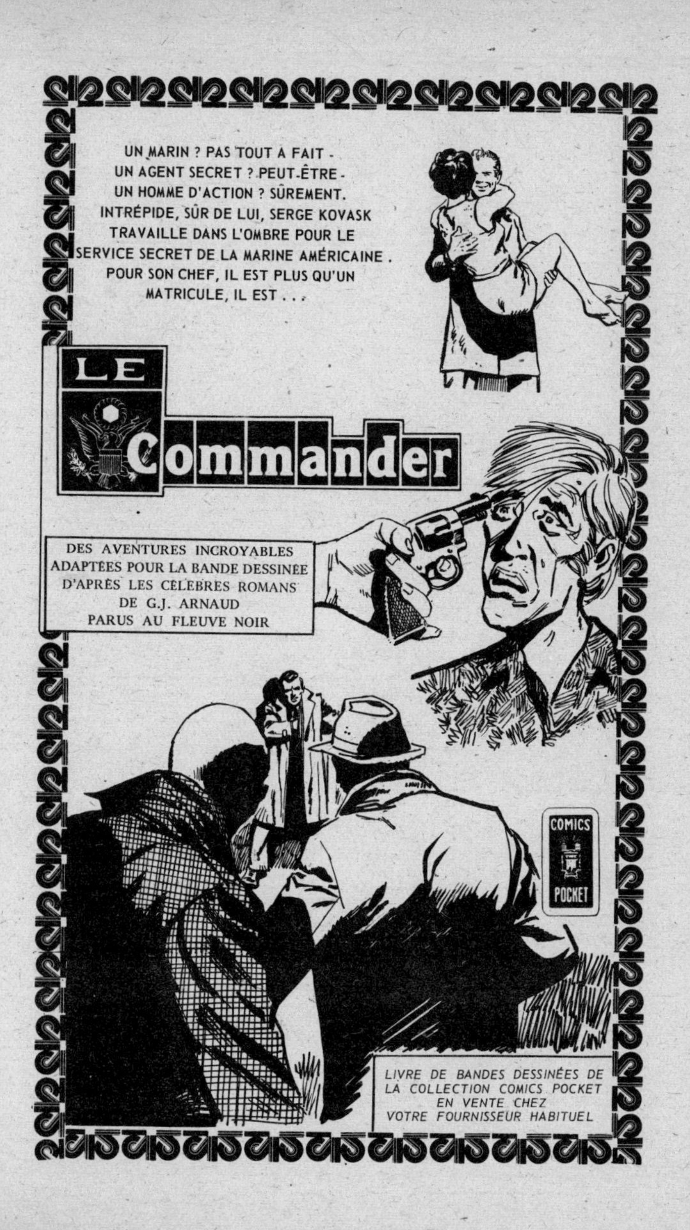
UN MARIN ? PAS TOUT A FAIT -
UN AGENT SECRET ? PEUT-ÊTRE -
UN HOMME D'ACTION ? SÛREMENT.
INTRÉPIDE, SÛR DE LUI, SERGE KOVASK
TRAVAILLE DANS L'OMBRE POUR LE
SERVICE SECRET DE LA MARINE AMÉRICAINE.
POUR SON CHEF, IL EST PLUS QU'UN
MATRICULE, IL EST . . .
LE Commander
DES AVENTURES INCROYABLES
ADAPTÉES POUR LA BANDE DESSINÉE
D'APRÈS LES CÉLÈBRES ROMANS
DE G.J. ARNAUD
PARUS AU FLEUVE NOIR
COMICS POCKET
LIVRE DE BANDES DESSINÉES DE
LA COLLECTION COMICS POCKET
EN VENTE CHEZ
VOTRE FOURNISSEUR HABITUEL

Imprimé en France
N° Dépot légal : 277
Imprimeries RICCOBONO
83490 LE MUY